ESPASA
JUVENIL

ESPASA JUVENIL

Lyddie

KATHERINE PATERSON

Traducción de Rosa Benavides

18

ESPASA

ESPASA JUVENIL

Directora de colección: Nuria Esteban Sanchez
Diseno de colección: Juan Pablo Rada
Ilustraciones de interior: Juan Carlos Sanz
Ilustración de cubierta: Fernando Gómez

© Espasa Calpe, S. A. © Katherine
Paterson © De la traducción: Rosa
Benavides Titulo original: *Lyddie*

Primera edición: septiembre, 1996 Tercera
edición: octubre, 2001
Primera Reimpresión(USA): Diciembre 2007

Depósito legal: M. 41.856-2001
I.S.B.N.: 84-239-9015-X (PB)
9780979504211 (HC)

Espasa, en su deseo de mejorar sus publicaciones, agradecera
cualquier sugerencia que los lectores hagan al departamento
editorial por correo electrónico: sugerencias@espasa.es

Impreso en Canadá.   Printed in Canada

Editorial Espasa Calpe, S. A. Carretera de Irun,
km 12,200. 28049 Madrid

Katherine Paterson nació en China, donde sus padres eran misioneros, y pasó allí su infancia.

Estudió en China y Estados Unidos, graduándose en el King College de Bristol, Tennessee.

Cursó estudios universitarios en Richmond y Nueva York. Ha escrito muchos libros juveniles que tratan de temas actuales y que han sido traducidos a muchos idiomas. Ha recibido dos veces la **Medalla Newbery** y otras dos el **National Book Award,** los dos premios más importantes de Estados Unidos. Actualmente vive con su marido y sus cuatro hijos en Barre, Vermont.

* * *

A Stephen Pierce,
nuestro tercer hijo
y, de hecho, amigo.

Índice

1
El oso

EL oso fue su ruina, si bien en aquel entonces todos se rieron. No, mamá nunca lo hizo, pero Lyddie, Charles y las niñas se rieron hasta dolerles el estómago. En el recuerdo de Lyddie aún eran las niñas y siempre lo serían. Agnes tenía cuatro años y Rachel seis aquel mes de noviembre de 1843, el año del oso.

La culpa, si es que alguien la tuvo, fue de Charles. Había estado metiendo madera del establo y dejó la puerta entreabierta; aunque es probable que la cerrara lo mejor que pudo, hacía tiempo que no encajaba bien. ¿Quién sabe?

En cualquier caso, Lyddie levantó la vista de la olla con harina de avena que removía al fuego y allí, en el umbral, vio una enorme cabeza negra, con la nariz levantada olfateando y los ojillos brillantes que denunciaban la esperanza de saciar el hambre.

—¡Que nadie grite! Retroceded despacio y con serenidad hasta la escalera y subid al pajar. Charles, lleva a Agnes y tú, mamá, a Rachel —dijo en voz baja.

Oyó lloriquear a su madre.

—Chiiisss. No pasará nada mientras mantengáis la calma. Tomadlo con tranquilidad, ¿eh? No le quito la vista de encima y daré un tirón a la escalera tras de mí —continuaba hablando en un tono muy sereno.

Todos la obedecieron, incluso mamá, aunque Lyddie oía su respiración entrecortada. A sus espaldas, la escalera crujía, ya que subían de dos en dos; Charles y Agnes primero, mamá y Rachel después, ascendieron al pajar. Lyddie miraba fijamente al oso, desafiándole a que entrara en la cabaña. Cuando la escalera quedó en silencio y pudo oír arriba el ligero rumor producido por su familia al acomodarse en los colchones de paja, anduvo hacia ella y, sin quitar los ojos del oso, trepó al pajar muy despacio. Al llegar arriba, casi se cae sobre la plataforma. Charles tiró de ella hacia el colchón, al lado de su madre.

El jaleo liberó al oso del encantamiento al que Lyddie parecía haberle sometido. Dando un manotazo a la puerta corrió hacia la escalera, pero Charles la agarró a tiempo. Los peldaños inferiores se balancearon, golpeando al animal en la nariz. El encontronazo le asustó momentáneamente, dándole a Lyddie la posibilidad de ayudar a Charles a izar la escalera y depositarla en la plataforma, lejos de su alcance. El viejo oso rugió sintiéndose frustrado y, sacudiendo al aire sus gigantescas patas delanteras, se alzó sobre las traseras. Era tan alto, que la nariz casi le llegaba al borde del pajar. Las niñas comenzaron a llorar. Su madre gritaba:

—¡Oh, Señor, líbranos de él!

—¡Callaos! Conseguiréis que se vuelva más loco —ordenó Lyddie.

Los llantos se transformaron en jadeos entrecor-

tados. Charles rodeó con sus brazos a las dos niñas y Lyddie sujetó con firmeza el hombro de su madre. Al sentirla temblar, aflojó los dedos y comenzó a acariciárselo.

—Tranquila. No puede alcanzarnos —susurró.

¿Treparía por los pilares? No era probable. Podría, en su frustración, dar un gran salto y... No. Intentaba respirar hondo, regularmente, y mantener los ojos clavados en los del oso. Éste se dejó caer sobre las cuatro patas y, sacudiendo la cabeza, apartó la mirada de Lyddie como si se sintiera turbado. Comenzó a explorar la cabaña. Era evidente que estaba hambriento y buscaba la fuente del olor que le había llevado hasta allí. Golpeó la lechera y lamió el borde para probarlo, pero Lyddie la había limpiado muy bien después de ordeñar aquella mañana y el animal abandonó muy pronto la búsqueda de comida en el recipiente.

Antes de encontrar la gran olla con avena que estaba al fuego, tiró la mesa y los bancos y puso en pie la rueca. Lyddie contuvo la respiración, rezando para que no rompiera nada. Charles y ella intentarían arreglar los destrozos, pero él sólo tenía diez años y ella trece. Les faltaba la habilidad y experiencia de su padre. «No rompas nada», rogó en silencio. No podían permitirse reemplazar los enseres de la casa.

A continuación, la bestia dio un zarpazo a un bote de compota de manzana, pero la tapa, hecha de piel, estaba fuertemente sujeta y aunque la sacudía como si fuera capaz de desatarla con su torpe garra, no lo consiguió. Hizo rodar el bote por el suelo hasta que tropezó con el banco, pero, gracias a Dios, la pesada arcilla no se hizo añicos.

El olor le llevó al fin hasta la harina de avena que

14

burbujeaba al fuego. Introdujo la cabeza en la olla y rugió de dolor cuando la nariz topó con las hirvientes gachas. Echó la cabeza hacia atrás y, al hacerlo, el caldero se soltó del gancho incrustándosele en la cabeza como si de una calabaza negra se tratara. El oso estaba tan aturdido que parecía incapaz de doblar el cuello hacia delante y dejar que la olla se cayera. Dolorido, corría por la habitación a cuatro patas y luego levantado sobre las traseras, con la olla cubriéndole la cabeza y la hirviente avena desparramándose por su grueso cuello y la piel.

Golpeaba las paredes buscando la salida, pero cuando encontró la puerta abierta se las arregló para cerrarla. Batiendo la puerta con la olla incrustada en la cabeza, la soltó de sus goznes de cuero y saltó hacia la oscuridad. Durante un buen rato le oyeron abrirse camino entre los matorrales con gran estrépito hasta que, por fin, la noche de noviembre les envolvió una vez más con su acostumbrado silencio.

En aquel momento comenzaron a reírse. Primero Rachel, agitando sus rizos oscuros y mostrando los huecos donde tuvo unos preciosos dientecillos el verano pasado. Agnes se unió a ella, dando unos chillidos estridentes propios de sus cuatro años, y Charles fue el siguiente con una risita aún no varonil.

—¡Uf! Menuda suerte que yo sea tan fea. ¡Una chica guapa no habría asustado a ese viejo tunante! —dijo Lyddie.

—¡Tú no eres fea! —gritó Rachel. Todos se rieron con más ganas que nunca; Lyddie más alto que los demás, hasta que le corrieron por las mejillas lágrimas de risa y alivio. Se doblaba de tanto como le dolía el estómago. ¿Cuándo se había reído tanto? No podía recordarlo.

A su madre le temblaban los hombros, pero Lyddie no podía verle la cara. Mamá también debía reírse. Quería creer que su madre se reía. Ah, quedaba la puerta por arreglar, poner orden en la cabaña y las gachas se habían esfumado, pero mañana entre ella y Charles encontrarían la olla. El oso no se la habría llevado lejos, y con toda seguridad quedaría un rastro más que suficiente entre la maleza después de aquel barullo. «Dejemos que se ría», rogó Lyddie.

—Mamá, ¿estás bien, eh? —le susurró al oído. Su madre se giró hacia ella.

—Es la señal —dijo.

—¿Qué señal, mamá? —le preguntó Lyddie, aunque no deseaba respuesta alguna.

—Clarissa dice que cuando el final se acerque el diablo recorrerá la tierra.

—Ése no era el diablo, mamá; sólo era un oso negro —dijo Charles.

—Tu adversario el diablo merodea como león rugiente buscando a quien devorar.

—Tía Clarissa no lo sabe, mamá —añadió Lyddie tan firmemente como pudo, mientras un escalofrío le recorría el cuerpo.

—Sólo era un oso negro —la vocecita ansiosa de Rachel repitió las palabras de su hermano—. ¿No es cierto, Lyddie, que era un oso?

Lyddie asintió con la cabeza para no contradecir a su madre.

—Mañana iremos a Poultney. Quiero estar con los fieles cuando llegue el momento final —dijo su madre.

—No quiero ir con los hechizados*. Quiero quedarme con Lyddie —dijo Rachel.

—Lyddie también vendrá —añadió su madre.

—¿Y cómo nos encontrará papá si nos vamos de casa? —preguntó Charles.

—Tu padre fue a buscar riquezas vanas. Nunca volverá.

—¡Lo hará, lo hará! Lo prometió —lloriqueaba Rachel. ¿Cómo le recordaba si apenas tenía tres años cuando se marchó?

A las niñas les costaba irse a dormir. Tenían los estómagos vacíos, pues se habían quedado sin gachas y mamá no estaba dispuesta a preparar más. Charles ayudó a Lyddie a limpiar la cabaña. Apoyaron la puerta en el quicio y arrastraron la cómoda para sujetarla hasta que la arreglaran al día siguiente. Al terminar, Charles subió la escalera para irse a la cama.

Lyddie permaneció abajo. Había que cubrir el fuego por la noche. Se arrodilló en el suelo. Detrás de ella estaba sentada mamá en una mecedora que trajo de Poultney de recién casada. Lyddie la miró a hurtadillas. Se mecía como aturdida, con la mirada fija en el fuego y sin pestañear.

A decir verdad, mamá estaba un poco tocada desde que papá se fue. Lyddie tuvo que reconocerlo. No tanto como su hermana Clarissa y su vociferante marido «fin del mundo», Judah; decididamente no. Pero ahora era como si lo del oso la hubiera terminado de desconcertar.

—No nos vayamos, mamá. Por favor, mamá —le rogó Lyddie con dulzura. Pero su madre sólo miraba

---

* Juego de palabras. *Faithful*: fieles. *Fate full*: hechizados (N. de la T.).

fijamente al fuego, meciéndose en silencio y con los ojos en blanco, como si su espíritu hubiera abandonado el cuerpo dejándolo en un balanceo sin fin.

Era inútil discutir, y Lyddie se calló confiando que el mal humor se le pasaría, como se le pasaban siempre los momentos de delirio. Sin embargo, a la mañana siguiente su madre no había olvidado su decisión.

—Si no es la caridad de Clarissa, pronto tendremos la de la granja de pobres*.

La única caridad que a Lyddie le horrorizaba más que la de tía Clarissa era la de la granja de pobres del municipio. Su padre había emprendido el camino del Oeste para escapar de ese fantasma.

—No puedo impedirte que vayas, pero no iré contigo. No puedo abandonar la granja —dijo Lyddie. Cuando su madre abrió la boca para seguir hablando, Lyddie continuó:

—El precio de la cosecha no alcanzará para pagar los billetes de todos nosotros en la diligencia.

Envió a Charles para asegurarse de que su madre y las niñas llegaban sin problemas a la granja de tío Judah. Charlie era un tipo divertido; apenas más alto que un arbolillo y, sin embargo, tenía la constitución de un hombre. Llevaba unas botas gastadas y la vieja camisa de franela de su padre con las mangas subidas. Cargó la carreta; el año anterior vendieron el caballo de tiro para comprar semillas.

—Sólo hay dieciséis kilómetros hasta la taberna de Cutler, donde para la diligencia. Las niñas pueden subirse cuando estén demasiado cansadas —dijo.

---

* *Poor farm:* Institución pública que recogía a los granjeros pobres. Trabajaban en condiciones durísimas por un sustento escaso (N. de la T.).

Metió el viejo baúl de piel de su madre, el que había transportado su ajuar a estas montañas y que más tarde sirvió para almacenar, mientras pudo, la comida que conseguía escatimar. Lyddie y Charles abatieron entre los dos a la vieja cerda quejumbrosa y la ataron a un varal de la carreta.

—¿Quieres que te acompañe hasta el pueblo? —le preguntó Lyddie. Sin embargo acordaron que era preferible que ella atendiese a la vaca y al caballo y protegiera la casa de los animales salvajes.

—Cuídate —le dijo con ansiedad.

—Me las arreglaré. Y recuerda: tienes que conseguir por la cerda lo suficiente para sacar los billetes de todos —le contestó Lyddie.

—Y para que yo pueda volver —dijo él.

Era la promesa implícita de no dejarla sola en la granja de las montañas. Echó una ojeada a su alrededor para asegurarse de que su madre se había alejado y no podía oírles.

—Lyddie, no debes tener miedo a bajar y pedirle ayuda a los cuáqueros Stevens; quieren ser buenos vecinos nuestros, a pesar de lo que diga mamá.

—Bien, ya me las arreglaré, ¿eh? —le contestó echando las finas trenzas sobre los hombros. Charles debería saber que ella no iba a deberles agradecimiento a los vecinos por algo tan trivial como su propio bienestar. Su madre reprobaba a los paganos y a los abolicionistas, y como consideraba que sus vecinos cuáqueros tenían un poco de cada cosa, prohibió a los niños que se relacionaran con los Stevens.

—No hay Worthen que haga tratos con el diablo —solía decir.

Al comienzo del verano anterior, cuando mamá

pasaba por uno de sus malos momentos y no prestaba demasiada atención, Charlie bajó furtivamente la vaca de nuevo a casa de los Stevens. Hasta donde Lyddie recordaba, mucho antes de que su padre se marchara, habían utilizado el toro de los Stevens. Si su madre se preguntó alguna vez por el origen de aquellos terneros que nacían milagrosamente cada primavera, nunca lo mencionó. Sabía, al igual que Lyddie y Charles, que nunca se las hubieran podido arreglar sin el dinero que les proporcionaba la venta de aquellos terneros.

A Lyddie no le preocupaban en absoluto las ideas radicales y el estilo peculiar de sus vecinos; lo que le importaba de verdad era deberles un favor. No podía evitarlo. Disponer del toro era una necesidad que no podía afrontar con sus propios medios, pero prefería morirse de hambre a mendigarles antes de que el ternero de este año naciera, y ya era el momento de cubrir a la vaca una vez más.

No debiera haberse preocupado. Charlie regresó a las dos semanas y se las apañaron juntos todo el invierno. Cazaban conejos y descortezaban árboles para hacer sopa, consiguiendo de esta manera que sus escasas provisiones durasen. Se les terminó la harina, y al no poder hacer pan la amasadora estuvo parada.

—Nunca me ha entusiasmado amasar —dijo Lyddie.

Cuando se acercaba la hora del nacimiento del ternero, dejaron de ordeñar a la vaca tan a menudo. No necesitaban la mantequilla porque carecían de pan, pero echaban mucho de menos la leche y el queso. No obstante, eran lo suficientemente buenos granjeros como para saber lo que le convenía a su única vaca.

El nacimiento del ternero fue recibido con gran alegría y con él llegó la abundancia de leche y crema. Lyddie y Charles se sentían tan ricos como las gentes de la ciudad. Era una novilla preciosa. Llegó el primer día templado de marzo, el mismo día que perforaron agujeros en los arces azucareros e insertaron las espitas que habían preparado para recoger el sirope. Eran capaces de hacer el suficiente sirope y azúcar para los dos. No tanto como para venderlo, pero estaban aprendiendo y en un año, después de la próxima cosecha, serían ya expertos granjeros y azucareros, se decían el uno al otro.

Años más tarde Lyddie recordaría aquella mañana. El cielo de finales de mayo era de un azul deslumbrante que obligaba a entrecerrar los ojos, y las laderas de la colina se cubrían de una capa de hierba muy alta. En lo alto de un manzano, un abejaruco entonaba sus trinos primaverales, *pío, pío, pío*. Alegría, alegría. Consiguieron levantarle el ánimo a Lyddie. Tenía las ásperas manos estiradas para sujetar el mango de madera aterciopelada del viejo arado. Con Charles guiando el caballo, se apresuraban hundiendo la pesada reja metálica en el suelo endurecido. El arado levantaba un olor dulce y húmedo de tierra removida. De pronto, en aquella perfecta mañana de primavera, un jinete y su caballo asomaron por la estrecha curva del camino, acercándose lentamente. El caballo se abría paso con cautela entre los surcos de barro, secos y profundos, que habían dejado los deshielos de abril y principios de mayo.

—Charlie —dijo en voz baja, sin osar moverse, pues por un instante tuvo la esperanza de que fuera papá, pero sólo fue un instante. En realidad era una mujer que montaba a lo amazona pero no se trataba de su madre, pues ella no montaba desde que se cayó años atrás y perdió el niño que hubiera venido entre Lyddie y Charles—. Charlie, alguien viene —repitió.

La amazona era la señora Peck, y les traía una carta que había llegado a la tienda del pueblo.

—Pensé que la estarías esperando —dijo.

Lyddie tomó unas monedas de su casi vacía caja para pagar el franqueo. La mujer del tendero esperó un poco, confiando quizá que Lyddie leyera la carta en voz alta, pero no lo hizo. Lyddie no era una buena lectora, así que fue más tarde, con las cortas trenzas pegadas a la cara por el sudor, cuando acercó la carta a la chimenea y se las arregló para descifrar las palabras de su madre, escritas con una penosa letra apretada e infantil.

> Querida Lyddie:
> El mundo no se socava todabia. Aun nos queda hesperar. Te e contratao con la taverna del seor Cutler y a tu hermano con el molinero. Los pastos, los campos y los cultibos de azucar estan alqilaos al seor Wescott para debolver deudas. Tambien vaca y caballo. Esperando hesteis bien de salud al recibo de esta.
>
> > Buestra madre que os quiere,
> > *Mattie M. Worthen*

Lyddie rompió a llorar.

—Lo siento, Charlie —dijo a su hermano mirándole la cara, que reflejaba extrañeza y ansiedad.

—No esperaba esto. Lo estábamos haciendo tan bien tú y yo, ¿eh?

Charlie aspiró profundamente, buscó en el bolsillo y le tendió un pañuelo andrajoso.

—Cálmate, Lyddie, cálmate —le dijo.

Cuando ella hundió la cara surcada de lágrimas en el pañuelo, Charlie le retorció una trenza.

—El mundo no sacava todabia, ¿eh?

Él recogió la carta del regazo de Lyddie y cuando ella se limpió la cara e intentó sonreír, Charlie hizo una mueca y señaló la ortografía primaria de su madre.

—Ves, aún podemos brincar*.

Lyddie se rió indecisa. Su ortografía no era mejor que la de su madre, así que al principio no se dio cuenta de la broma. Pero Charlie se reía con ganas y ella comenzó a reírse también, aunque era el tipo de risa que oprime el pecho y, como el pinchazo de las zarzas, produce mucho dolor.

---

* Juego de palabras entre *To hope,* esperar, y *To hop,* brincar. La madre escribe en la carta: *We can still hop* (aún nos queda brincar) *(N. de la T.).*

2
Buenos amigos

NO dice nada del ternero —dijo Lyddie de pronto, en medio de la penosa tarea de recoger sus cosas.

—No tiene por qué. Nunca se lo contamos —dijo Charlie.

—Sabes, Charlie, el ternero es legítimamente nuestro.

Él ladeó su erguida cabeza y la miró indeciso.

—No lo es. Nosotros le pedimos al cuáquero Stevens que nos prestara su toro para la monta. Mamá no tuvo nada que ver.

—Pero si hay deudas...

—Ha arrendado los campos, el caballo y la vaca. A ti te manda de aprendiz de molinero y a mí de criada. Dispone de nuestros cuerpos y nuestras almas. No tenemos por qué darle el ternero.

Se puso una mano en la cadera y enderezó su dolorida espalda.

—¿Qué piensas hacer?

—Cállate. Me lo estoy pensando.

Charlie, obedeciéndola, guardó silencio y se puso

a mirar en la misma dirección, hacia los largiruchos arces que les proporcionaban el sirope.

—Es una novilla preciosa. La criaremos con la leche de su madre y conseguiremos un buen precio —dijo Lyddie.

—Estamos obligados a darle el dinero a ella.

—No —la voz de Lyddie era más dura de lo que quería, oprimida como estaba por tres años de ira contenida.

—Siempre lo hicimos y mira dónde nos ha llevado. No —dijo de nuevo, esta vez con suavidad.

—El dinero no irá a parar allí. Se lo dará al tío Judah, quien a su vez se lo entregará a aquel predicador que dice que no necesitamos nada porque el mundo se acaba.

Se volvió hacia su hermano.

—Charlie, nosotros no podemos pensar en eso. Hemos de pensar en conservar la granja para cuando papá regrese. Debemos coger ese dinero y enterrarlo en alguna parte; así, cuando seamos libres, podremos volver aquí y compraremos semillas para empezar de nuevo.

—A lo mejor ha vendido la granja.

—No puede hacerlo mientras papá esté vivo.

—Pero quizá...

—Eso no lo sabemos, ¿verdad? Tenemos que creer en su regreso o en que mande a buscarnos.

—Espero que no mande a buscarnos.

—Le convenceremos para que se quede —dijo Lyddie. Deseó por unos segundos pasarle el brazo alrededor de sus delgados hombros, pero se contuvo. No quiso que él creyera que le consideraba menos hombre de lo que tan gallardamente quería aparentar.

25

—Formamos un buen equipo, ¿eh, Charlie?

—¿Buey o mula? —preguntó él con sonrisa socarrona.

—Creo que un poco de cada.

Limpiaron la cabaña y barrieron el suelo de madera. Sabían que era un lugar tosco y sencillo comparado con las granjas del camino y las amplias mansiones de los verdes campos que rodeaban el pueblo. Pero su padre, el séptimo hijo de un granjero pobre del valle de Connecticut, compró la tierra y construyó la cabaña con sus propias manos antes de que ellos nacieran. Cada año prometía vender el suficiente sirope, avena o potasa para construir una buena casa con un auténtico granero adosado en lugar de la alejada barraca. Sus cultivos de azúcar eran pobres y su cosecha de avena apenas alcanzaba para alimentar a una familia que aumentaba, pero había tocones para quemar en abundancia. De pronto, ya no necesitaron la potasa en Inglaterra y la demanda era exigua en Vermont. Se endeudó fuertemente para comprar tres ovejas y el mercado de la lana tocó fondo precisamente el año que tenía suficiente para vender. Era un hombre desafortunado. Sus propios hijos lo notaban, pero los quería y trabajaba para ellos de sol a sol, y ellos le correspondían adorándole.

Cerraron la puerta que, a pesar de los esfuerzos de Charlie, no encajaba bien y se acordaron del oso. Se preguntaban cómo podrían evitar que las fieras destruyeran la cabaña en su ausencia. Finalmente, Charlie sugirió que colocaran delante de la puerta la leña sobrante que estaba apilada. Tardaron cerca de una hora en trasladarla y, sudando y con la respiración entrecortada, se admiraron de la fortaleza que habían levantado.

Eso les hizo la marcha algo más fácil. Charlie cabalgaba a pelo en el caballo e hincaba los tacones marrones en los costados del animal. Lyddie, que sujetaba la vaca, le seguía de cerca. Llevaba una bolsa de tela que contenía su otro vestido y el camisón. Anudó los cordones de las botas, que eran demasiado pequeñas, y se las echó al hombro. Haría mejor el largo camino con los pies libres y descalzos. No necesitaron atar al ternero, que iba pegado a los cuartos traseros de su madre mugiendo constantemente para que ella se estuviera quieta el tiempo suficiente para mamar.

Era finales de mayo. El barro se secaba en las profundas rodadas del camino, pero Lyddie no se miraba los pies. Los pájaros saltaban de los altos árboles al suelo a ambos lados del camino, llamándose y cantando entre la pálida y fina yerba que nacía en los campos y entre los arbustos. Aquí y allá, las flores silvestres bailaban enfundadas en su ropaje de verano, olvidando que cualquier noche les podía traer la helada asesina.

Lyddie aspiró el aire aromático.

—Estamos en primavera —dijo.

Charles asintió con un movimiento de cabeza.

—¿Te fastidia mucho ir al molino? —le preguntó Lyddie.

—Él se encogió de hombros.

—No lo sé. No parece un mal sitio. Algo polvoriento, supongo. Y sin mucho tiempo para holgazanear, ¿eh?

—Tú no sabrías cómo holgazanear —le contestó Lyddie riéndose.

Él sonrió halagado ante el cumplido.

—Preferiría estar en casa.

27

Lyddie suspiró.

—Volveremos, Charlie. Te lo prometo —ambos guardaron silencio durante un rato recordando a su padre, que decía casi las mismas palabras.

—De verdad. Estoy segura de ello —dijo Lyddie.

—Por supuesto —añadió Charlie sonriendo.

Tenían ante sus ojos la granja del cuáquero Stevens. Podían verle con el sombrero negro de ala ancha, rodeado de los sombreros negros de sus tres hijos mayores. El buey estaba enganchado a un trineo casi lleno de piedras. Los hombres estaban sacando más piedras de un campo rozado hacía poco.

Su granja, cercana al camino, se había extendido a lo largo de los años. El contorno del primer edificio de dos plantas se vislumbraba en el extremo norte, el cual se unía por la parte de atrás con la más amplia estructura de una construcción al estilo de cabo Cod. A continuación estaba el anexo, que servía de establo, almacén y retrete, y un corredor que conducía a dos caserones, el mayor sobresaliendo del más pequeño. Eran ricos a pesar de su adhesión cuáquera a la vida sencilla.

La envidia se le enroscaba como una enredadera nociva. Lyddie se desprendió de ella, pero las raíces eran profundas y no podía arrancarlas.

Antes de que le llamaran, el granjero les había visto. Agitó la mano y quitándose el sombrero se limpió la cabeza y la cara con la manga de la camisa tejida en casa, se puso el sombrero de nuevo y atravesó el campo hasta alcanzar el camino.

—Veo que mi toro os sirvió bien —dijo sonriendo. Tenía la cara ancha y colorada y el pelo, rizado y gris, le llegaba a las orejas. Grandes cejas de erizo adornaban sus ojos bondadosos.

28

—Venimos a darle las gracias —comenzó a decir Lyddie, pensando con rapidez. Quería ser justa y honesta, pero al mismo tiempo deseaba un precio mayor por el ternero que desde el fondo de su corazón sabía que le pertenecía al granjero en parte.

—¿Habéis traído estos animales por los caminos a lo largo de ocho kilómetros sólo para eso? —preguntó, arqueando las enormes cejas.

Lyddie enrojeció.

—La verdad es que llevamos la vaca y el caballo al señor Westcott en pago de la deuda, y tenemos que vender en seguida este precioso ternero. Nuestra madre nos ha puesto a trabajar.

—¿Dejáis vuestras tierras?

—También están arrendadas —dijo Lyddie intentando que sólo un leve tinte de tristeza le empañara la voz—. Charles y yo esperábamos que nuestro padre regresara del Oeste, pero...

—¿Habéis pasado todo el invierno solos, vosotros que sois dos niños?

Notó que Charles se ponía tenso a su lado.

—Nos las arreglábamos bien —dijo Lyddie.

Se quitó el sombrero de nuevo y se limpió la cara y el cuello.

—Debería haber ido a visitar a mis vecinos —dijo en voz baja.

Lyddie notó que flaqueaba.

—No creo que le interesara...; no, seguramente no. Ya tiene usted un hermoso rebaño.

—Os daré veinte dólares por el ternero —dijo rápidamente.

—No, veinticinco. Conozco al padre y es de buena raza.

Él sonrió.

Lyddie fingía que estaba pensando.

—Parece bastante alto —dijo.

—Usted tiene derecho a la mitad —dejó escapar Charles antes de que Lyddie le diera un codazo para que se callara. Su honradez le llevaría a la tumba.

El buen hombre persistía.

—Es un precio justo para una hermosa novilla. La habéis cuidado muy bien.

Les invitó a entrar en la casa para cerrar el trato y, antes de concluirlo, se encontraron tomando una abundante comida con la familia. La habitación en la que estaban era mayor que su cabaña y el cobertizo juntos. Era a la vez cocina y sala de estar, y dedicaban un rincón a hilar y tejer. Los cuáqueros eran lo suficientemente ricos como para tener su propio telar. La comida, colocada en la larga mesa de roble, les parecía un banquete real a unos niños que, hasta que la vaca parió, se alimentaron básicamente de conejos, sopa de corteza de árbol y las últimas patatas mohosas del año anterior.

La esposa del cuáquero era grandona y de cara encarnada como su marido, y tan bondadosa como él. Les metió prisa para que comieran, pues todavía les quedaba un largo trecho por recorrer. Esto le recordó al cuáquero Stevens que necesitaba clavos.

—Uno de los chicos puede llevaros primero al molino y luego al pueblo —dijo. Atarían la vaca y el caballo a la parte trasera del carro, así que irían tan despacio como si fuesen andando hasta la casa de Westcott.

Los hijos se habían quitado los sombreros para comer. Eran más jóvenes y menos serios de lo que recordaba. Había visto más a menudo al benjamín, Luke, cuando ella iba a la escuela. Era uno de los chicos grandotes que se sentaba en las últimas filas de la clase; él tendría unos dieciséis años cuando ella era una de las pequeñajas de la primera fila. Abandonó la escuela cuando su padre se marchó. No se atrevía a dejar a las niñas solas con su madre. Charles asistió casi todo el cuatrimestre hasta el invierno anterior, hasta que resultó demasiado duro. Confiaba que el molinero le dejara estudiar. Tenía una buena cabeza para el estudio, no tan negada para aprender como la de ella.

Luke Stevens ató la vaca y el caballo a la parte trasera del carro y se acercó a Lyddie tendiéndole la mano, pero ella fingió no verle. No deseaba que él la tomara por una niña o una mujer desvalida. Saltó hasta el alto pescante del carro y se dio cuenta que iba apretujada entre Charles y Luke. Se sentó lo más erguida que pudo, pues no estaba acostumbrada al roce con extraños. En su familia muy raras veces se tocaban unos a otros. Se sentía pequeña y muda al estar tan cerca de aquella gran mole humana.

Él tampoco era muy hablador. Se inclinaba hacia delante de vez en cuando para evitarla al hablar con Charles. Le preguntó si sabía algo del molino en el que iba a trabajar. La voz dulce de Charlie, con los tonos agudos de la pubertad, le hacía parecer desgarradoramente joven, en contraste con la profunda voz varonil de Luke. ¡Era tan injusto! Este hombre tenía padre, madre y hermanos mayores con quienes vivía y le cuidaban, mientras el pobre Charles tenía que abrirse camino solo en el mundo. Buscó en el fondo del bolso de tela hasta que sus dedos tropezaron con una moneda. La apretó con fuerza para obligarse a sí misma a no llorar.

31

—Entonces, ¿la granja quedará en barbecho? —le preguntaba Luke a Charles.

—No, los campos, los pastos y el cultivo de azúcar están arrendados por la deuda. La casa y el cobertizo no. Espero que la nieve no hunda los techos.

La preocupación que Charles demostraba al hablar de la granja y las tierras era casi insoportable para Lyddie.

—Bah, no les pasará nada y estaremos de vuelta en un par de años.

—Puedo pasarme por allí. ¿Queréis que lo haga? ¿Que despeje los techos de nieve si fuera preciso?

—No es necesario... —comenzó a decir Lyddie, pero Charles ya le estaba dando las gracias por su amabilidad.

—Te quedaré agradecido —dijo—. Nos quitará preocupaciones. Lyddie y yo queremos que se mantengan en pie hasta el regreso de papá. Sin embargo, no te tomes demasiado trabajo.

—No es nada —dijo Luke cariñosamente.

—No habrá nadie para apisonar el camino cuando lleguen las nieves.

Luke ignoró el tono malhumorado de Lyddie y le sonrió:

—Puedo hacerlo con las raquetas. Nada mejor que una buena excursión por mi cuenta. La casa se llena cuando llega el invierno.

La forma en que habló le hizo sentir a Lyddie que ella era la niña y Charles el responsable.

Entregaron al señor Westcott el caballo y la vaca sanos y salvos. Su granja estaba en la llanura del río y llena de vida ya con los brotes recientes del maíz.

Lyddie observaba cómo el señor Westcott se llevaba su vieja vaca y su caballo. Al lado del lustroso ganado de Westcott, parecían gorriones hambrientos picoteando en un gallinero.

Siguiendo un sembrado más crecido, salieron al camino del río que conduce al molino.

—Desde aquí puedo ir andando tranquilamente —protestaba Charles, pero Luke no le hizo caso.

—No por mucho madrugar amanece más temprano —dijo riéndose.

No quería que Luke Stevens la viera despedirse de Charles, pero quizá era mejor así. Flaquearía si se quedaban solos, y eso empeoraría las cosas.

—Estaré en el pueblo. Es posible que puedas hacer una escapada —le dijo.

Charles le puso la manita en el brazo.

—No debes preocuparte, ¿eh, Lyddie? Todo saldrá bien —dijo.

Casi se echó a reír, pero no sabía si llorar. Él intentaba animarla. Vio cómo la boca abierta del molino se tragaba su pequeña figura. Se volvió en la inmensa puerta —era tan amplia que cabía un carro alto— y se despidió con la mano.

—Vámonos. Se hace tarde —dijo Lyddie.

Luke inclinó la cabeza ladeando su divertido sombrero negro.

—Esta es la taberna de Cutler —dijo. No habían hablado desde que dejaron el molino.

—¿Quieres que te acompañe hasta la puerta?

El carro se había detenido ante una pared baja de piedra, adornada con una puerta de barrotes. Lyddie estaba horrorizada.

—No, no es necesario. Podrían no entender que viniera con... —dijo saltando al suelo.

Él sonrió entre dientes.

—Espero veros antes de que pase mucho tiempo. Mientras tanto cuidaré de vuestra casa —dijo. A continuación se reclinó en el pescante—: También le haré alguna visita a Charlie. Es un buen chico —dijo Luke.

Lyddie no sabía si alegrarse o molestarse, pero él chasqueó la lengua y el carro se puso en marcha, dejándola sola en su nueva vida.

3

La taberna de Cutler

L YDDIE permaneció frente a la puerta, esperando a que Luke y su carro desaparecieran en el recodo del camino. En ese momento vio un par de golondrinas que entraban y salían de la enorme chimenea situada en el centro de la casa principal. La taberna era mayor que la granja de los Stevens. Sucesivos añadidos conformaban el porche, el cobertizo y dos cuadras. El extremo de una de ellas era tan alto como una casa de cuatro pisos. El complejo, pintado recientemente de una mezcla de ocre rojizo y blanco, destacaba en el cielo como si fuese una hilera de remolachas gigantes que reventaban desde el suelo.

Los pastos, de un verde exuberante, estaban salpicados de ovejas merinas y hermosas vacas lecheras. Había un inmenso arce azucarero frente a lo que debía ser la sala y otro en el porche que, por la presencia de lecheras y fresqueras, indicaba el camino de la cocina.

«Al cruzar esa puerta dejaré de ser libre para siempre», pensó. «No importa que la casa sea buena; en cuanto entre seré una sirvienta, no mucho más que un esclavo.»

35

Había sido la reina de la cabaña, de los campos baldíos y de los cultivos de azúcar allá en la montaña. Sin embargo, ahora otro empuñaría la batuta. ¿Cómo pudo su madre hacer tal cosa? Estaba segura que su padre se horrorizaría al saber que Charlie y ella servían en casa ajena. Daba lo mismo que muchos pobres emplearan a sus hijos para no tener que alimentarles. Ella y Charlie hubieran podido mantenerse. Sólo necesitaban una buena cosecha, una buena recolección de azúcar, eso era todo lo que precisaban. Y hubieran podido seguir juntos.

Un rugido furioso la despertó de su sueño, y antes de que reconociera al animal que había hecho ese ruido, apareció una diligencia. Iba tirada por dos parejas de sudorosos caballos Morgan que, sacudiendo sus grandes cabezas, enseñaban unos dientes poderosos y echaban espuma por el bocado. El coche había doblado la curva y el cuerno bramaba.

El cochero también chillaba y, en ese momento, justo a tiempo, se dio cuenta que le gritaba a ella. De un salto se pegó a la pared. El hombre la seguía gritando mientras tiraba de las riendas y el coche pasaba justo por el sitio donde estuvo unos segundos antes.

¿Debería disculparse? No hacía falta, porque el cochero ya no se fijaba en ella. Entregaba los caballos a un muchacho que salió corriendo del cobertizo. Una mujer salía apresuradamente de la cocina para recibir a los pasajeros, que descendían del carruaje sofocados. Lyddie miraba asombrada. Parecían muy distinguidos. Uno de los caballeros, un hombre con gorro de castor y camisa con chorrera, se volvió para ayudar a descender a una dama. Ella llevaba el rostro oculto por un casquete de paja que tenía el ala decorada con rosas a juego con el traje. ¿Sería de seda? Lyddie no estaba segura, pues nunca había visto un vestido de seda, pero era suave y rosa como la mejilla de un bebé. La dama llevaba sobre los hombros un chal tejido en un rosa más oscuro. Lyddie se maravillaba al pensar que aquella mujer llevaba algo tan delicado para viajar hacia el norte en una diligencia polvorienta.

Una vez a salvo en el suelo, la mujer levantó la cabeza y miró a su alrededor. Tenía la cara fina y pálida y sus rasgos eran nobles. Detuvo la mirada en los ojos de Lyddie y le sonrió. Era una sonrisa agradable, nada altiva. Lyddie comprendió que había estado mirando boquiabierta. Cerró la boca y desvió la mirada con rapidez.

El encuentro llegó a su fin, pues la corpulenta mujer que salió por la puerta de la cocina apresuraba a la dama, a su escolta y a dos pasajeros más, para que cruzaran la cancela y se dirigieran a la entrada principal, situada en el extremo norte de la taberna.

De pronto se fijó en Lyddie y, asomándose por encima de la pared, musitó en tono áspero:

—¿Qué haces aquí? —al hacer la pregunta, miraba a Lyddie de arriba a abajo, como si fuese un perro extraviado que vagabundeara demasiado cerca de su casa.

Lyddie se dio cuenta —unos minutos antes no lo hubiera hecho— que no llevaba casquete y que tenía el pelo y las trenzas polvorientos del camino. Cruzó los brazos, intentando tapar el viejo vestido marrón hecho con tela de saco; le apretaba el pecho, que comenzaba a despuntar, caía desigualmente hasta los tobillos, pues el dobladillo estaba descosido y parecía un harapo. Llevaba los pies sucios y descalzos y las botas aún le colgaban del hombro. Debió acordarse de ponérselas antes de bajar del carro de Luke.

Se sintió avergonzada y levantó el brazo, limpiándose la nariz y la boca con la manga, ante la mirada implacable de la mujer.

—Vete. Ésta es una taberna respetable y no la granja de pobres del municipio —le dijo.

Lyddie sintió que la rabia le rezumaba por los poros. Se aclaró la garganta e irguiéndose le dijo:

—Soy Lyddie Worthen. Tengo una carta de mi madre...

La mujer la miraba horrorizada.

—¿Tú eres la nueva chica?

—Creo que sí.

—Bien. Ahora no voy a perder el tiempo contigo. Ve a la cocina y pídele a Triphena que te enseñe dónde puedes bañarte. Aquí cuidamos mucho la limpieza —dijo la mujer.

Lyddie se mordió los labios para no responderle. La miró fijamente a la cara hasta que la mujer parpadeó y se dio la vuelta, corriendo un poco para alcanzar a los huéspedes, que la esperaban en la puerta principal.

La cocinera estaba atareada como el ama y no muy dispuesta a ocuparse de la nueva criada, tan sucia, justo en el momento de servir la comida a la mesa.

.   —Siéntate ahí —Triphena le señaló con la cabeza una banqueta bajita, colocada junto al inmenso hogar. Lyddie hubiera deseado permanecer de pie después del largo y traqueteante viaje en el carro de los Stevens, pero prefirió no tener problemas con la cocinera; ya tuvo bastantes con el ama los primeros diez minutos de su primer empleo.

38

La cocina era tres veces mayor que la cabaña de los Worthen. En el centro estaba el enorme fuego del hogar. Si Lyddie se hubiera estirado completamente frente a él, la cabeza y las puntas de los pies no sobresaldrían del hogar, y todavía sobraba sitio.

En el lado derecho de la chimenea de ladrillo había un horno gigantesco en forma de colmena, y el aroma de los panes recién cocidos le hizo olvidar la abundante comida que había compartido al mediodía. «El problema de comer bien es que te acostumbras. Crees que debes hacerlo con regularidad, no sólo cuando se cierra un trato», pensó Lyddie más tarde.

Sobre el fuego colgaba una olla tan grande que las dos niñas hubieran podido bañarse juntas en ella. Un estofado rebosante de zanahorias, cebollas, judías y patatas hervía en una espesa salsa oscura. Había unos pollos en un asador y parecía que giraban y giraban solos mágicamente. Pero cuando los ojos de Lyddie siguieron la trayectoria de una correa de cuero vio, encima del fuego, el mecanismo del que colgaba un gran péndulo de metal. Deseó que su padre pudiera verlo. Quizá podría hacer uno de madera y así nadie tendría que dar vueltas al asador con la mano hasta aburrirse. Aunque es posible que haya que encargárselo al herrero, en cuyo caso será tan caro que sólo los ricos podrán tenerlo. No recordaba haberlo visto en casa de los Stevens, y ellos eran lo suficientemente ricos como para tener un telar.

—Muévete —dijo la cocinera. La obesa mujer comenzaba a sacar la comida del fuego y le echó a Lyddie una rápida ojeada—. Por suerte pasas desapercibida. Los huéspedes no dejaban en paz a la última chica. No tendremos problemas contigo,

¿verdad? —dijo mientras servía el estofado en una gran fuente.

Lyddie cogió el taburete y lo trasladó a una esquina de la habitación. Sabía que no era una belleza, nunca lo había sido, pero era una trabajadora incansable. Se lo demostraría a esa mujer. ¿Debería ofrecerle ahora ayuda? La cocinera estaba tan atareada llevando la comida del fuego a la larga mesa de madera situada en el centro, que no le prestaba atención. Lyddie se hizo un ovillo y escondió los pies descalzos bajo el taburete, temerosa de que se los vieran. ¿Los huéspedes vendrían a cenar allí? De ser así, ¿dónde se escondería?

Como si respondiera a su pregunta, el ama entró seguida de un muchacho.

—Date prisa —dijo.

Supervisaba que se terminara de trasladar el estofado de la olla a grandes fuentes de porcelana, mientras la cocinera y el chico las llevaban de la cocina a alguna otra parte de la casa. El ama refunfuñaba y gruñía, y entre orden y orden se quejaba de la huésped que se daba aires de gran dama cuando no era más que una chica de fábrica pavoneándose.

Si el ama vio a Lyddie sentada en el rincón, no dejó traslucirlo. La joven se alegraba de que la ignoraran. Necesitaba tiempo y una oportunidad para lavarse y cambiarse la polvorienta ropa. Se lamentaba de haber estropeado su mejor vestido en el viaje, pero el que llevaba en la bolsa era incluso más estrecho y harapiento. No había tenido un vestido nuevo desde que vendieron las ovejas cuatro años atrás. Desde entonces, su cuerpo había comenzado a experimentar esos extraños cambios que la convertirían en mujer y que la desesperaban. ¿Por qué no podía ser ella tan delgada

40

y tan lisa como un chico? ¿Por qué no había nacido siendo chico? De esa manera, papá quizá no hubiera tenido que marcharse. Con el primogénito varón para ayudarle habrían sacado adelante la granja de la montaña.

Pero por mucho que lo deseara y lo intentara, era una chica. Eso sí, una chica flacucha y musculosa, aunque su cuerpo de muchacho la había traicionado el año anterior. Sus pechos eran pequeños y las curvas de las caderas apenas si se delineaban, pero no podía evitar el resentimiento hacia esos signos visibles que la condenaban a ser una mujer.

Incluso un año antes de que papá se fuera, él comenzó a enviarla a la casa para ayudar a su madre.

—Nunca se recobró del todo después del nacimiento del bebé —solía decir. Pero en cuanto no hubo más lana para hilar, notó que su presencia en la casa sólo servía para que su madre hiciese aún menos. Una a una, las tareas de la casa fueron recayendo en Lyddie. Guisar, batir la mantequilla, limpiar y cuidar de las niñas. Durante un tiempo, su madre hiló el lino. Como no tenían telar propio, le pagaban al tejedor del pueblo con lino hilado para que les tejiera la ropa. Su padre se marchó con una camisa nueva que le hizo su madre, pero esa fue la última prenda que cosió. Lyddie intentaba continuar hilando, pero cuando ocupó el puesto de su padre en el campo estaba demasiado cansada para hilar y coser a la débil luz de la vela.

El invierno anterior cosió una camisa para Charlie porque a él también se le quedaba pequeña la ropa y la vieja camisa de lana que su padre le dejó le quedaba tan grande como un camisón.

Resultó que la señora Cutler la equipó con una bata de percal comprada en el almacén del pueblo. Era más suave que su tosco vestido casero y, además, de su talla, pero en cierto modo le favorecía menos. ¿Cómo iba a alegrarse por llevar ropa de criada? También le entregó unas botas nuevas que la apretaban y la hicieron añorar el ir descalza. Sin embargo se las puso; no de muy buen grado, es cierto, pero decidida a obedecer. Tras varias semanas y muchas ampollas, las botas se suavizaron algo y fue capaz de olvidarse de ellas al menos durante una hora seguida.

La gente de la taberna Cutler no era tan fácil de olvidar. El ama era una mujer enorme y lo tenía todo bajo su control. ¿Cómo podía una mujer tan bien dotada por la naturaleza utilizar sus dones con tanta mezquindad? Tenía los ojos pequeños y juntos, siempre al acecho para descubrir una pizca de harina derramada o las migajas de pan en los labios de alguien.

No por eso Lyddie dejaba de coger un poco de pan. En cambio, el chico, Willie Hyde, se quedaba con un pan entero cuando traía la panera del comedor a la cocina. Era un año mayor que Charlie, alto como un gran abedul rojo y, en opinión de la señora Cutler, tan inservible como él. Le enviaban al cobertizo, a las cuadras o al campo en cuanto no le necesitaban en la taberna. Lyddie no lo confesaría, pero envidiaba su suerte; estaba a menudo al aire libre y fuera del alcance de las garras del ama.

La señora Cutler vigilaba a Lyddie como el gato al gorrión en el tejado, pero Lyddie estaba decidida a no darle el más mínimo motivo de queja. Había trabajado duramente desde que podía recordarlo, pero ahora que trabajaba incluso más arduamente, ¿a quién tenía

42

allí para compartir un rato de descanso? ¿Quién escucharía con ella la llamada de un pájaro, contemplaría la puesta de sol o miraría a un ternero tumbado, con sus graciosas patas extendidas hacia su madre? La falta de Charlie le pesaba como una piedra al cuello.

Dormía bajo el alero, en un chamizo sin ventanas en el que faltaba el aire y ya era caluroso a finales de la primavera. La ordenaban acostarse tarde y la obligaban a madrugar, pues el ama no quería que los huéspedes, que pernoctaban en las habitaciones con ventanas del otro lado del pasillo, supieran que compartían el piso con la pinche de la cocina.

Raras veces hablaba pero escuchaba atentamente, almacenando historias para contárselas a Charlie. No pensaba escribirle. Le avergonzaba que su hermano viera su mala letra y la horrible ortografía, pero además no tenía dinero para el papel y el franqueo, exceptuando el de la venta del ternero, pero no tocaría ni un centavo de ese dinero. Sin embargo, cuando por la noche estaba muy cansada o hacía demasiado calor para dormir, sacaba el bolso de tela de debajo del colchón de paja y contaba las monedas en la oscuridad. «Parezco la pequeña Agnes chupándose el dedo», se reprendía a sí misma, pero no dejaba de hacerlo. Era el único consuelo que tuvo aquel verano.

Se acercaba septiembre cuando vio de nuevo el vestido de seda rosa de la dama. Esta vez llegó en la diligencia de Burlington y se dirigía, Lyddie se lo oyó decir en la cena, a Lowell, en Massachusetts. Al preguntarle otro pasajero qué negocios la llevaban allí, la joven sonrió:

43

—Trabajo en la fábrica de tejidos Hamilton, sí —añadió en respuesta a la mirada asombrada del pasajero—. Soy una de esas chicas de fábrica.

El hombre murmuró algo y se concentró en su escudilla de estofado.

La joven le observaba todavía sonriente, y al tropezar con la mirada de Lyddie sonrió incluso más abiertamente, como dando a entender que Lyddie era en cierto modo una compañera.

Cuando los hombres abandonaron el comedor para ir al bar, la joven se quedó leyendo un libro que había sacado de un pequeño bolso de seda que hacía juego con su precioso vestido.

—¿Nos hemos visto antes, no?

Lyddie miró a su alrededor para ver a quién le hablaba la dama, y se dio cuenta que estaban las dos solas en la habitación.

—A finales de mayo, cuando iba a la granja de mi familia a pasar el verano.

Lyddie se aclaró la garganta. Había perdido el hábito de conversar. Asintió con la cabeza.

—Tú no eres pariente de los dueños.

Lyddie negó con la cabeza.

—Eres una buena trabajadora, se ve en seguida.

Lyddie asintió de nuevo para agradecerle el cumplido y se volvió para colocar los platos sucios en la bandeja.

—Te iría bien en la fábrica. Ganarías al menos dos dólares a la semana. Y —hizo una pausa— serías independiente.

Mentía, Lyddie estaba segura de ello. Ninguna chica conseguía tanto dinero en una semana.

—El trabajo es muy duro, pero seguramente menos que aquí, y te queda tiempo para ti, para estudiar o simplemente descansar.

—Mi madre me empleó aquí —dijo Lyddie rápidamente, ya que la puerta de la cocina se movía y la señora Cutler entraba en el comedor. La mirada de la mujer iba de la dama a Lyddie y abrió la boca para hablar, pero Lyddie no esperó. Pasó de prisa a su lado para entrar en la cocina.

Aquella noche contó el dinero de nuevo. Estaba segura que la dama mentía, pero, aun así, ¿cómo era posible que la hija de un granjero se comprara un vestido de seda?

4

La rana en la mantequera

CUANDO Lyddie comenzó a trabajar en la taberna, Willie se encargaba de encender el fuego por
las mañanas. Sin embargo, a menudo se dormía y varias veces el fuego se apagó y tuvieron que ir a casa de
los vecinos a pedir brasas. El ama era demasiado tacaña para comprar yesca, pero al mismo tiempo le mor-
tificaba que la creyeran una mala ama de casa que dejaba morir el fuego de la cocina, así que encargó a
Lyddie que lo encendiera.

Las primeras noches temió no despertarse a tiempo y durmió al lado del hogar para estar segura de ser
la primera en levantarse por las mañanas.

Triphena entró una mañana y la encontró allí, pero en lugar de burlarse se compadeció de ella. Algo
parecido a una amistad comenzó aquel día. La cocinera había superado los cuarenta y carecía de hogar.
Prefirió no casarse, según decía, para no ser la esclava
de ningún hombre.

Era voluminosa y enérgica. Se impacientaba con
Willie, a quien tenía que decirle las cosas varias
veces, pero con el paso del tiempo le conquistó la

capacidad de trabajo de Lyddie y su forma de ser tan callada.

Una mañana, mientras Lyddie batía la mantequilla, en el momento en que la nata se cuajaba, la cocinera le contó la historia de dos ranas que cayeron en el cubo de leche.

—Una se ahogó en el acto —dijo señalando con la cabeza en dirección a la puerta que acababa de cerrarse a espaldas de Willie—, pero la otra pateó y pateó sin descanso y a la mañana siguiente la encontraron flotando en un gran trozo de mantequilla.

Lyddie sonrió a su pesar.

—Mira —continuó Triphena—, algunas personas son pateadoras de nacimiento, como la rana de la historia. Siempre encuentran la forma de convertir un desastre en mantequilla.

—Aún podemos brincar —Lyddie casi suelta una carcajada.

Triphena ladeó la cabeza asombrada, pero Lyddie únicamente sonrió y movió la cabeza. No podía compartir el chiste de Charlie con nadie.

El otoño se echó encima en seguida. Los días comenzaron a acortarse. Y nunca, aunque soñaba y tramaba planes mientras restregaba las ollas de hierro, batía la mantequilla y encendía el fuego, nunca tuvo la oportunidad de llevar a casa el dinero del ternero.

No tenía noticias de Charlie. No es que esperara una carta suya. Él tampoco tenía dinero para el papel y el franqueo ni tiempo o energía para redactarla. Intentaba conservarlo en su memoria, retratarlo —mientras yacía en su propio catre— para ver cómo iba creciendo y lo que hacía. Raras veces pensaba en

Rachel y Agnes o en su madre. Era como si las tres pertenecieran a una vida anterior mucho más triste. Iba arrinconando en sus pensamientos la posibilidad del regreso de su padre. Una vez se preguntó si habría muerto, y por eso ahora apenas sí pensaba en él. No había dolor en aquel pensamiento, sólo una fría curiosidad.

Charlie y ella dejaron la carta de su madre y otra suya para papá en la mesa de la cabaña, sujetas por el pesado candelabro de hierro. De este modo, si regresaba sabría dónde estaban. Pero la antigua visión de él subiendo por el estrecho sendero se desteñía como un vestido viejo. Cuando comprendió que el sueño alimentado durante tres años se le escapaba, se preguntó si debería sentirse mal al perderlo. Su propia voz, enfadada, le decía interiormente: «No debió marcharse. Nunca debería habernos dejado.»

Las llameantes montañas de primeros de octubre se apagaron bruscamente. Las monótonas lluvias de final del otoño dieron paso a los primeros copos de nieve. El mundo era hermoso una vez más, con las ramas plateadas de los árboles deshojados y los exuberantes tonos de los de hoja perenne recortándose en los brillantes bancos de nieve, tan blanca que era necesario entrecerrar los ojos en un día soleado.

El amo puso los carros y los coches en el cobertizo e hizo limpiar a Willie el barro de las ruedas y de los bajos, y sacaron los trineos fuera. La diligencia venía ahora con menos frecuencia. Sin embargo, aunque había muchas tareas por hacer en los cortos días de invierno, no tenían huéspedes que alimentar ni cuidar. Los pocos que se acercaban parecían tan reservados como el gélido color gris del tiempo y se encerraban en sus oscuros asuntos.

—Cazadores de esclavos. No me gusta su olor —le oyó murmurar a Triphena a la partida de un caballero elegantemente vestido de oscuro.

Si hubiera estado en casa se habría pasado las oscuras tardes hilando o cosiendo, pero la dueña le compró prendas de lana y de algodón en la tienda del pueblo. Ni siquiera escardaba o hilaba la lana de sus ovejas, enviándola a Nashua o a Lowell, donde lo hacían en gigantescas fábricas alimentadas por energía hidráulica. Toda la riqueza de Vermont parecía deslizarse ahora hacia el sur o el oeste. De hecho, se oyó comentar al amo que vendería las ovejas la próxima primavera, ya que el ferrocarril del oeste traía una lana tan barata a las fábricas de Lowel que los granjeros de Nueva Inglaterra ya no podían competir.

Era lo mismo que dijo su padre, pero como su rebaño era mucho más pequeño que el de Cutler, su familia se vio en apuros muchos años antes.

Una mañana, a última hora, mientras Lyddie estaba pelando y cortando patatas para la comida, notó la presencia de alguien a sus espaldas. A continuación, un desconocido le retorció la trenza derecha. Molesta, miró a su alrededor, lista para decirle unas palabras incisivas al fastidioso Willie, cuando descubrió que era Charlie.

Se puso en pie de un salto, con el cuchillo y una patata en la mano.

—¡Oh, qué sorpresa! —dijo Lyddie.

Charlie sonreía abiertamente.

—Esa era mi intención. Tienes buen aspecto —dijo.

—Has crecido —dijo ella, pero no era cierto. Le veía más bajo de lo que le recordaba, pero él sufriría si se lo dijera.

—¿Cómo estás, Charlie? —no era una fórmula de cortesía. Lyddie realmente necesitaba saberlo.

—Aún brincando —dijo él riéndose—. Hay menos trabajo en invierno, así que me han dejado venir a verte.

Ahora que por fin le veía, apenas si sabía qué decirle.

—¿Has sabido algo de mamá y las niñas? —le preguntó.

Él negó con la cabeza. Tenía el pelo más largo, pero mejor arreglado. Un peluquero mejor que ella se lo había cortado, observó apenada.

—Estás ocupada y no quiero estorbarte —dijo Charlie.

Era una conversación ridícula, pero la cocinera y Willie estaban en la cocina y el ama entraba y salía continuamente. ¿Cómo podían hablar de cosas importantes?

—¿Has pasado por casa alguna vez? —le preguntó Lyddie volviendo al trabajo y haciéndole señas para que se sentara a su lado en el taburete bajo.

—No. Y tú tampoco, ¿eh? —dijo él.

Ella negó con la cabeza. Quería hablarle del dinero. De su deseo de que estuviera a salvo en casa. Deseaba preguntarle qué debía hacer, pero indudablemente no podía con gente alrededor.

—Vi a Luke un par de veces. Ha subido en una o dos ocasiones a echar un vistazo a la granja. La casa está bien —dijo Charlie. Bajó la voz para decirle:

—Se rió bastante de cómo bloqueamos la puerta. Tuvo que entrar por la ventana.

No le gustó la idea de que Luke o cualquier otro entrara por la ventana. La cabaña parecía ahora menos segura. Un mapache, un oso o un trampero también podrían entrar, pero no hizo comentario alguno.

—¿Te hacen trabajar mucho? —le preguntó suavemente. Se le veía tan pequeño y delgado.

—Son amables. El molinero trabaja tanto como nosotros y la comida es buena y abundante.

«Entonces, ¿por qué no has crecido?», deseaba preguntarle, pero se mordió la lengua.

En cuanto se fue, se le ocurrieron mil cosas que hubiera querido contarle. De haberse acordado, la historia de las ranas, por ejemplo. Él se hubiera echado a reír y ella añoraba tanto su risa. Se encontraba mucho más sola después de su partida. La presencia de Charlie durante una hora le había despojado en parte de su coraza, y sus sentimientos estaban ahora indefensos y a flor de piel. Se marchó hacia el mediodía y Triphena le preparó un poco de pan y queso para el viaje. Llevaba unas raquetas de nieve que eran tan largas como él de alto.

«Suponte que empieza a nevar antes de que llegue sano y salvo. ¿Y si se pierde?» Lyddie intentaba alejar sus temores. Si le pasara algo, ¿se lo dirían? Pasarían días, pues primero se lo comunicarían a su madre y ella puede que escribiera a Lyddie o no. Era demasiado duro haberse tenido que separar. No era justo.

—No te preocupes, el tiempo no va a empeorar —dijo Triphena, leyendo sus pensamientos. Lyddie suspiró profundamente.

—Eres peor que una madrecita —le reprendió la mujer, pero su mirada era más tierna de lo habitual.

El tiempo no cambió en los tres días siguientes, pero luego llegó la ventisca invernal. Alimentaban y daban agua al ganado, ordeñaban a las vacas, pero Otis y Enoch, los dos hombres contratados, podían hacer bien poco al aire libre. Así que la cocina se llenó de hombres que buscaban el calor del gran fuego mientras preparaban espitas para la recogida en marzo de la caña de azúcar. Tallaban trozos de madera de zumaque, de unos diez centímetros, que ahuecaban con un atizador calentado al rojo. Recordó cómo Charlie y ella hicieron espitas el invierno anterior para sangrar los arces. Sus esfuerzos resultaban muy infantiles comparados con la destreza de estos hombres.

Casi no podía moverse en la cocina, a pesar de su tamaño, sin tropezar con las largiruchas piernas de un hombre o encontrarse con que otro la cerraba el paso hacia el fuego con un atizador. Triphena gruñía en voz baja constantemente y se alegraba de forma audible cuando salían a cuidar del ganado.

Sin embargo, a Lyddie no le importaba nada. Sus cuerpos estaban siempre en medio de cualquier cosa que ella fuera a hacer, pero hablaban mientras trabajaban y la charla era una magnífica ventana abierta al mundo, más allá de los muros de la taberna.

—Han pescao a otro esclavo cerca de Ferrisburg.

—Las leyes dirán lo que quieran sobre no perseguir a los fugados, pero mientras la recompensa sea alta siempre habrá alguien que los busque.

—Tú dirás —Enoch escupió al fuego. El salivazo chisporroteó como la grasa en una plancha caliente.

—¿Quién se encarga? Allá en Washington la esclavitud es la ley de la tierra. Si un hombre compra un caballo a buen precio y legalmente, ten por seguro que saldrá detrás del maldito caballo si se le larga. Si pagas por algo, es tuyo. Si la ley dice que un hombre puede tener esclavos, tiene el derecho de pescarlos si se le largan. No veo la diferencia.

—Y si devuelvo algo a su dueño creo que me gano una recompensa.

Otis hizo una pausa para sacar el atizador del fuego e incrustarlo humeante en el corazón de la espita de zumaque que sostenía en la mano.

—Ninguno de esos tipos altivos y poderosos de Montpelier me ha ofrecido cien dólares por no denunciar a un fugado, ¿a que no?

—Con este tiempo estarán congelaos antes de que los encuentres. ¿Te crees que la recompensa te la dan igual si está congelao o derritido?

—¿Por qué te supones que alguien va intentar escaparse en invierno? ¿No saben lo fácil que es seguir las huellas de un fulano en la nieve?

—Por lo que me imagino, no debe nevar allá donde nacieron, ¿eh? No saben cómo son las cosas aquí arriba. Sólo ven que se pueden escapar y se escapan. No se lo piensan dos veces.

«Yo sí me lo pensaría», se dijo Lyddie. «Lo prepararía todo muy bien y esperaría el momento adecuado. Si fuera a escaparme, elegiría una noche de luna llena de principios de verano; viajando de noche y durmiendo de día...»

—¿Qué te parecen estos locos? No saben lo que es ser atrapado —le dijo Triphena al oído.

Lyddie no había visto nunca a un hombre de color. Intentaba imaginarse su aspecto y su forma de actuar. En cierto modo le gustaría ver alguno, pero ¿qué haría?, ¿qué le diría? Y suponiendo que se tratara de un fugado, ¿qué pasaría? ¡Cien dólares! ¿Le darían realmente cien dólares por devolver a un esclavo fugado?

Desde luego, con ese dinero podría saldar las deudas de su padre y volver a casa.

Llegó marzo. La savia comenzó a subir por los cultivos de caña de azúcar y la casa de Cutler era un hervidero de actividad. Willie acompañó a los hombres contratados para recoger y hervir la savia. El señor Cutler había construido hacía dos veranos un gran cobertizo para el azúcar, y los únicos momentos en que los hombres se acercaban a la casa principal era cuando atendían a los animales. Incluso se llevaron a Lyddie para ayudarles a ordeñar, alimentar y dar de beber al ganado.

A sus faenas habituales se sumaba ahora la tarea de clarificar el sirope que traían a la casa. En la granja nunca se habían preocupado de la clarificación, pues apenas si recogían suficiente sirope o azúcar para el consumo de la familia. En cambio, el ama era muy especial y permanecía al lado de Lyddie dirigiéndola.

Era un trabajo caluroso y agotador: batir leche y cenizas de lejía con el sirope y hervir la mezcla hasta que la espuma de las impurezas se deposite en la superficie y se pueda desespumar. El ama, que sólo miraba y daba órdenes, declaró que conseguir el sirope líquido y claro valía la pena el esfuerzo realizado.

Hirvieron una parte del sirope clarificado hasta que se convirtió en caramelo y lo moldearon con formas divertidas. El molde favorito de Lyddie era la cabeza de George Washington, aunque a veces la nariz se pegaba y la figura era inservible.

5

Una visita a casa

HACIA la segunda semana de abril el sirope dejó de manar, pero la temporada azucarera había sido buena. El ama decidió llevar a Boston una amplia selección de caramelos de sirope de arce. Se pagaba el viaje vendiendo los dulces y, además, tendría la oportunidad de visitar la gran ciudad y a su hermana, enferma crónica.

El trabajo no disminuyó con la ausencia del ama, pero se suavizó y era como si estuvieran de vacaciones.

—Si pudiera alegrar la vida de los demás con sólo marcharme, yo me iría más a menudo —dijo Triphena.

En dos semanas, Lyddie, Triphena y Willie, cuando podían agarrarlo, pusieron la enorme casa patas arriba para hacer limpieza general. Olía tan bien como el aire de la cercana primavera. Y aunque nevó un poco hacia el fin de mes, Lyddie supo que era un simulacro de invierno. La primavera llegaba decidida.

—Bien. El ama se ha ganado un viaje. Creo que el resto de nosotros también —dijo Triphena una noche.

—¿Dónde irás, eh? —le preguntó Lyddie pensativa.

—¿Yo? —le contestó Triphena. Estaba tricotando con sus manos rojas y estropeadas y casi se le escapan los puntos—. No quiero ir a ninguna parte. Estuve en Montpelier dos veces. Ya es suficiente. Boston es demasiado grande y sucio. Estoy segura de que no me gustaría. ¿Y a ti, dónde te gustaría ir?

—A casa —dijo Lyddie suspirando.

—¿A casa?, pero si está sólo a dieciséis kilómetros de aquí.

Lyddie asintió con un movimiento de cabeza. «¡Como si está a diez mil!»

—Puedes ir y volver en un par de días como mucho.

«¿Qué dice esta mujer?»

—Vete mañana mismo si quieres.

Lyddie no daba crédito a sus oídos.

—Pero...

—¿Quién va a decir nada si el ama está fuera? —terminó la vuelta del derecho y comenzó a tejer la del revés sin mirar la labor.

—¿Estará bien?

—Si yo lo digo es porque estoy al frente en ausencia del ama. ¿De acuerdo? —añadió Triphena.

Desde luego, Lyddie no pensaba contradecirla.

—Si esperas, el hielo se derretirá y te encontrarás con el barro. Es mejor que salgas mañana mismo si hace buen tiempo. Llévale unos caramelos a tu hermano, te coge de camino.

Lyddie abrió la boca para preguntarle de nuevo si podía hacerlo, pero decidió callarse. Si Triphena decía que sí, ¿quién era ella para dudarlo?

57

Se levantó antes del amanecer y supo que iba a hacer buen tiempo. Preparó una cesta de merienda con pan y queso y un paquete de caramelos. La nieve del camino se iba transformando en barro y se colgó un par de raquetas de nieve a la espalda por si en las sendas de la montaña quedaba aún nieve en abundancia.

Llegó al molino en menos de una hora y se sintió muy defraudada porque Charlie no estaba.

—Creo que se ha ido a alguna parte, pero pregunta arriba en la casa —dijo uno de los hombres.

Una mujer guapa y algo rellenita contestó a la llamada de Lyddie.

—¿Sí? —preguntó sonriendo.

—Vengo a ver a Charles Worthen. Soy su hermana —tartamudeó Lyddie, lo que la hizo ponerse colorada.

—Muy bien, pasa —dijo la mujer.

Lyddie dejó las raquetas y la cesta en el porche y siguió a la mujer. Entraron en una cocina amplia y fragante.

—Iba a empezar a preparar la comida —dijo la mujer como si se disculpara, mientras removía apresuradamente el guiso que estaba al fuego en un hogar de piedra.

—Charles está hoy en la escuela —colocó la tapadera sobre la olla—. Es un chico muy brillante.

—Sí —dijo Lyddie. No iba a envidiar a Charlie. ¿No eran ellos dos casi la misma persona?

—Mi marido le está cogiendo mucho cariño.

¿Qué quería decir? ¿Quién se estaba encariñando con Charlie? Él no era su hijo, ni siquiera su aprendiz. Sintió la necesidad de explicarle a la mujer que Charlie le pertenecía, pero no supo cómo hacerlo.

—Dígale que he estado aquí, ¿eh? —dijo torpemente. Ya en la puerta, se acordó de los caramelos y se los entregó a la mujer.

—Unos caramelos —susurró.

—Nos gustaría que te quedaras un rato —dijo ella, pero Lyddie estaba ya recogiendo sus cosas.

—He de irme. No tengo tiempo.

Se dio cuenta más tarde que no le había dado las gracias, pero no iba a volver. Además, tenía prisa por llegar a la granja. Limpiar a fondo la cabaña, comprobar el estado de los techos y encontrar un buen sitio para esconder el dinero le llevaría su tiempo. Tendría que dormir allí, pues se haría de noche cuando terminase las tareas.

Si se despertara pronto a la mañana siguiente, quizá pudiera pararse de nuevo en el molino..., pero no... No podía ir otra vez preguntando por Charlie y encontrarse con que estaba en la escuela. ¿Qué pensarían de ella? Además, Charlie podía sentirse molesto de tener a su hermana encima como una vieja gallina clueca. No soportaba la idea de mortificar a Charlie ante esa gente que le valoraba tanto.

Se alegraba. ¿No se había sentido mal porque no tenía un padre y una madre que le cuidaran igual que a Luke Stevens? Pero los molineros no eran su verdadera familia. Ella sí lo era. Más que su madre, quien en su locura les había despojado del mismo modo que se espinocha el maíz.

La rabia, o cualquiera que fuese el sentimiento que giraba vertiginosamente en su cabeza, también le hacía mover los pies. Sobrepasó la granja de los Stevens hacia el mediodía. No se detuvo para comer, pero en el último tramo del camino sintió hambre y mordisqueó el ahora duro panecillo y el queso seco mientras trepaba por el sendero que llevaba a la granja.

La senda estaba llena de nieve y más apisonada de lo que esperaba. «El señor Westcott debe ir y venir para ver a sus vacas», pero se dio cuenta que los pastos estaban cubiertos de nieve y no había animales en los campos. «Claro, el sirope. Seguro que sube y baja para recogerlo.»

Al doblar el recodo, estaba medio convencida que la cabaña había desaparecido. Pero allí estaba, algo hundida, achaparrada y sencilla, tal y como su padre la construyó. La leña estaba apilada delante de la puerta, según Charlie y ella la dejaron. Parecía que la nieve no había dañado el techo, gracias, seguramente, a Luke Stevens. Aquellas huellas alrededor de la cabaña debían ser las suyas. Se sintió agradecida hacia el alto y desgarbado joven cuáquero por cuidar de su casa.

Cogió la corta escalera de mano del cobertizo y la apoyó en una de las ventanas que miraban al sur. A continuación tomó una astilla de la pila de madera. Sería fácil apalancar la ventana a menos que la madera se hubiese hinchado, pero no era así. Daba la impresión de que se abriría con bastante facilidad, como si le diera la bienvenida a casa. Lyddie hizo palanca con la astilla. Puso la pierna derecha en el alféizar y hundió la cabeza en el pecho para entrar por el hueco.

En ese momento vio al lado del fuego una sombra oscura. Contuvo un grito.

—¿Luke, eres tú? —susurró.

La forma se dio la vuelta y se puso en pie. Apenas si podía distinguirle en la penumbra de la cabaña. Era un hombre alto, pero no era Luke. Había un extraño en su hogar. El blanco de sus ojos parecía enorme y en ese momento descubrió qué había de raro en él. A la débil luz, su cara y sus manos eran muy oscuras. Sólo le brillaban los ojos. Lyddie estaba mirando a un esclavo.

6
Ezekial

CON una pierna en el alféizar y el cuerpo aprisiona-
do por la ventana, no podía huir. Además, ¿por
qué iba a hacerlo? Después de todo estaba en su
casa, y ¿qué era un miserable hombre, blanco o
de color, comparado con un oso? Además —le entró un sudor frío—, este hombre podía valer cien dólares. Manteniendo los ojos fijos en el intruso
como si fuera un oso, se las arregló para introducir
la pierna izquierda y sentarse en el borde interior
de la ventana. Simulando valor, iba a abrir la boca
para preguntarle al hombre quién era y qué hacía en
su casa, cuando él comenzó a hablar:

—En verdad en verdad os digo, quien no entra por
la puerta, sino que salta por otra parte, es un ladrón y
un salteador.

Tenía una voz profunda y suave. Aquellas palabras eran de la Biblia, pero estaba asombrada por
la musicalidad con que aquel hombre las pronunciaba, y permaneció sentada, boquiabierta, incapaz de
proclamar que, fuese lo que fuese, ella no era una
ladrona.

—No tema, pequeña señorita. El corazón me dice que no es usted ni ladrona ni salteadora.

—No. Soy la dueña —dijo elevando la voz para demostrar su autoridad.

—¡Ah!, al fin nos encontramos. Usted debe ser la señorita Worthen, mi anfitriona. Perdone mi intrusión —dijo él.

—¿Cómo sabe usted mi nombre, eh? —hubiera querido preguntarle el suyo o al menos qué hacía en su casa, pero, al igual que antes, la desarmaba con su labia y rapidez mental.

—El hermano Stevens creyó que usted se mostraría comprensiva —dijo él mirándola por primera vez desde que la descubriera en la ventana. Su expresión era vacilante—. Espero que no se haya equivocado —añadió disculpándose con una sonrisa—. Baje de ahí y comparta conmigo una taza de té. Ha hecho usted un largo viaje y supongo que ha recibido una impresión muy fuerte al encontrar su casa ocupada por un extraño.

¿Qué otra cosa podía hacer Lyddie? Tomó la mano que el hombre le tendía y se sorprendió por su aspereza, pues a la débil luz de la habitación le había parecido satinada.

La ayudó a bajar y la condujo a la mecedora. Lyddie se sentó en el borde mientras él le ofrecía una taza de té de abedul. ¿Cómo no había visto humo en la chimenea según se acercaba? El hombre había hecho un fuego muy flojo y por eso apenas humeaba. La cabaña estaba fría, aunque más templada que el exterior. El hombre se sirvió una taza y llevó un taburete al otro extremo de la chimenea para sentarse frente a ella.

—Viene usted del pueblo —dijo él.

63

Ella asintió. Era difícil tomar a aquel hombre por un esclavo fugado. Hablaba como un predicador congregacionalista, pero era evidente que se escondía.

—Me presentaré —dijo él leyendo sus pensamientos—. Soy Ezekial Abernathy, o al menos así me llamaba antes. Iba hacia el norte cuando la nieve me atrapó en noviembre.

Así que era un fugado.

—Llegué a la granja del hermano Stevens, donde permanecí hasta que comprobamos que vigilaban la casa. Es entonces cuando el joven Luke me animó a venir aquí. Pensó que los troncos apilados ante la puerta desanimarían a los curiosos.

—Lo hicimos para alejar a los animales salvajes.

—Sí, y lo han logrado. Aquí estoy a salvo de las fieras —dijo Ezekial tomando un sorbo de té y sin levantar los ojos del borde de la taza— por ahora.

Levantó la vista para mirarla.

—Me hubiera ido enseguida, pero para mi desgracia estaba enfermo. Con el frío, mis pulmones tardaban en limpiarse.

—Habla usted como un predicador.

Él se relajó un poco.

—Sí, lo soy o más bien lo era.

—¿Así que no es usted un esclavo?

—Algunos me consideraron como tal.

—Habla usted tan bien —no quiso expresarlo de aquella manera, pero las palabras le salieron sin pensar.

—Y usted también —él sonreía.

—No, que va. Quiero decir que usted ha ido a la escuela... —dijo Lyddie.

—Yo fui mi propio maestro. Al principio sólo que-

64

ría leer la Biblia para poder predicar en mi pueblo, pero —sonrió de nuevo mostrando sus dientes, iguales y
hermosos— la lectura es un acto extremadamente pe-
ligroso.

—¿Leer la Biblia?

—Especialmente la Biblia. Me dio ideas —dijo.

—Entonces usted se fue, ¿eh? Lo dejó todo y se
marchó.

Echó la cabeza hacia atrás, sumido en sus recuerdos.

—Algo así —dijo, pero Lyddie leyó en sus ojos que
no fue así precisamente.

—No podría dejar mi casa —dijo ella.

—¿No?, pues usted lo hizo.

—No tuve elección. Me obligaron —dijo apasiona-
damente.

—Como a muchos esclavos —dijo él con suavidad.

—No soy una esclava. Soy... Soy... —«¿Qué soy?»,
pensó Lyddie—. Mi padre dejó deudas, así que... —según hablaba, empeoraba las cosas—. Pero somos pro-
pietarios de la tierra, somos ciudadanos libres del estado de Vermont —él la miró—. Bueno, mi padre lo es o
lo era hasta que se marchó, y mi hermano será...

Charlie asistía a la escuela pero vivía con extraños.
Odiaba a aquel hombre por obligarla a pensar de
aquel modo.

—Abandoné el único hogar que he conocido —dijo él serenamente—. Abandoné a una esposa y a un
hijo prometiéndoles que enviaría a alguien o iría yo
mismo a buscarlos en pocos meses. Y aquí estoy, sentado, enfermo y sin dinero, escondiéndome para salvar la vida y dependiendo de la bondad de otros para
sobrevivir.

Ezekial movió la cabeza y Lyddie lamentó haber tenido un brote de odio hacia él. Quién sabe si, en algún lugar, su padre no estaría diciendo estas mismas palabras.

Al cabo de un rato, Ezekial se puso en pie.

—Puedo ofrecerle un poco de conejo estofado. Lo siento, pero es todo lo que tengo por el momento. Creo que el hermano Luke subirá esta noche con más provisiones, pero si tiene hambre... —le dijo.

—Tengo algo de pan y queso —respondió Lyddie.

—Un verdadero festín —dijo él, recuperando el buen humor.

—Cuando le descubrí —ambos comían y Lyddie sintió la necesidad de contárselo—, yo..., se me ocurrió... —pero le daba vergüenza terminar la frase.

—Es mucho dinero —dijo él lentamente—. En su lugar, yo también estaría tentado.

Notó que la sangre le bullía y se puso colorada.

—Pues no lo haré —dijo con orgullo—. Ahora que le conozco, me resultaría imposible.

—Muchas gracias. Es un cumplido tan hermoso como usted.

—Porque aquí está oscuro, si no veía que soy tan atractiva como un cepellón.

—O tan bella como la tierra —utilizaba unas palabras muy raras, pero Lyddie sabía que no las empleaba para burlarse de ella.

Luke llegó por la noche, pero Lyddie se durmió tan profundamente que no le oyó. El testimonio de la visita fue el olor a gachas de avena que se cocían al fuego cuando despertó. Había dormido vestida y bajó en seguida del pajar por la escalera de mano.

—¡Ah, la durmiente se despierta!

—Es tarde. Tengo que irme —dijo Lyddie. Pero él la retuvo hasta que desayunó.

Fue una extraña despedida. No esperaba ver más a Ezekial. Confiaba que pudiera cruzar la frontera rápido como un zorro y alejarse de las trampas que le tenderían sus cazadores. ¿Cómo pudo pensar ni por un segundo en traicionarle?

—Espero que llegue a Canadá sano y salvo y deseo que su familia se reúna con usted lo antes posible —dijo Lyddie.

Y sin pensárselo dos veces, metió la mano en el bolsillo y sacando la bolsa con el dinero del ternero, se la tendió:

—Puede necesitarlo para el camino.

Las monedas sonaron cuando se las entregaba.

—Pero este dinero es suyo. Lo necesitará. Usted lo ha ganado.

—No —dijo Lyddie—. No me lo he ganado. Es de la venta del ternero. Iba a enterrarlo hasta que lo necesitara.

—¿Qué le parece si lo consideramos un préstamo? —le preguntó él—. Cuando me establezca se lo devolveré enviándoselo a los Stevens para que se lo entreguen y, si puedo, con intereses.

—No hay prisa. Espere a reunirse con su familia. No sé si mi hermano y yo podremos volver aquí alguna vez.

Se sintió invadida por la tristeza. Llevó el taburete hasta la ventana y trepó. Ezekial sostuvo la ventana mientras ella subía. Alguien, seguramente Luke, había dejado la escalera puesta fuera.

—Nunca podré agradecérselo bastante, amiga mía —dijo Ezekial.

—Los Stevens tienen derecho a la mitad del ternero. El toro es suyo —dijo intentando quitar importancia a la barbaridad que acababa de cometer.

—Deseo que usted también encuentre su libertad, señorita Lyddie —dijo él.

Cuando Lyddie había bajado una buena parte del sendero empezó a preguntarse qué había querido decir Ezekial. Tenía razón. En la taberna de Cutler, a pesar de la amistad de Triphena, no era más que una esclava. Trabajaba desde antes del amanecer hasta bien entrada la noche, y ¿qué recibía a cambio? La posibilidad de pagar la deuda y volver a casa no estaba más cercana que un año atrás. Necesitaba dinero para hacerlo. Necesitaba un trabajo por el que le pagaran y, además, bien. Sólo existía un lugar en Nueva Inglaterra donde una chica recibía un salario por su trabajo, y ese lugar estaba en las fábricas textiles de Lowell.

El tiempo se mantuvo estable y el viaje de regreso era prácticamente cuesta abajo, de modo que estuvo de vuelta en la taberna de Cutler a primeras horas de la tarde. Colgó las raquetas, que no había usado, en el cobertizo y dejó la cesta de la comida en la despensa antes de entrar en la acogedora cocina.

—¡Vaya, su señoría ha decidido honrarnos con su visita! —la cara del ama estaba roja, no se sabía si de rabia o por el calor. Tras ella, Triphena trataba de disculpar a Lyddie.

Lyddie se detuvo en el umbral intentado urdir

una excusa o una disculpa, pero, como siempre, las palabras no le venían a la cabeza con suficiente rapidez.

—¡Estás despedida! —gritó la mujer.

—Es la mejor que ha tenido usted —dijo Triphena entre dientes.

—A menos...

—No —dijo Lyddie rápidamente—. Sé que he hecho mal marchándome cuando usted no estaba. Recogeré mis cosas y me iré, ¿eh?

—¡Llevas mi vestido!

—Sí, señora. ¿Quiere usted que lo lave antes de irme o...

—¡No seas descarada!

Lyddie pasó al lado de la furiosa mujer sin decir una palabra y subió las escaleras que conducían a su diminuta habitación sin luz. Se quitó el vestido de percal y se puso el estrecho vestido hecho en casa, y fue como si se quitara un gran peso de encima. Se sintió contenta por primera vez desde el día que la señora Peck le trajo la carta.

Triphena subió.

—Quédate fuera de su vista por hoy. Mañana ya habrá recobrado el juicio. Sabe que eres la chica más trabajadora que va a tener en su vida y, además, gratis. Le manda a tu madre cincuenta centavos a la semana, y sólo lo hace si yo se lo recuerdo.

—Voy a ser una chica de fábrica, Triphena.

—¿Vas a ser qué?

—Soy libre. Ella me ha liberado. Puedo hacer lo que quiera. Iré a Lowell, ganaré dinero para saldar la deuda y después volveré a casa.

—Pero tu hermano...

—Le irá bien. Está en un buen sitio donde le cuidan. Incluso le dejan ir a la escuela.

—¿Cómo vas a llegar a Massachusetts? No tienes dinero para el billete de la diligencia.

—Caminaré —dijo con orgullo—. Una persona debe caminar hacia la libertad.

—A esa persona que yo me sé le van a doler mucho los pies —musitó Triphena.

7

Hacia el sur y la libertad

LYDDIE se preparó en seguida, o casi. Triphena le hizo ponerse primero su mejor par de botas de repuesto. Desde luego eran demasiado grandes para Lyddie, así que hubo de esperar a que la cocinera le diera dos pares más de calcetines y papel para rellenar las punteras. Cuando Lyddie protestó, Triphena siguió murmurando.

—Una persona no puede caminar hasta Massachusetts descalza, y menos en abril, no señor.

A continuación, Triphena le hizo aguardar mientras le preparaba un paquete con tanta comida que hubiera podido alimentar a una cuadrilla de segadores. Y finalmente le dio un bolsito de tela con cinco dólares de plata.

—Es demasiado —protestó Lyddie.

—No quiero cargar con tu cadáver sobre mi conciencia. Será suficiente para el billete y las paradas en el camino. La única comida de taberna de la que me fío es la mía —dijo la cocinera.

—Pero el ama...

—Déjamela a mí.

—Te devolveré el dinero con intereses cuando pueda —le prometió Lyddie.

Triphena movía la cabeza y le dio unas palmaditas en las nalgas como si fuese una niña de cinco años.

—No te olvides de mí, ¿eh? Piensa en tu vieja amiga de vez en cuando. Esos son todos los intereses que espero recibir.

Eran las tres de la tarde y aún no había emprendido el viaje, pero no permitiría que Triphena la persuadiera de que esperase. Si no se iba en seguida, el ama podría convencerla para que se quedase o simplemente ella no se atrevería.

Tenía el corazón gozoso y los pies torpes, enfundados en unas botas inadecuadas y unos calcetines inmensos. Recordó a Ezekial: «Él iba hacia el norte en busca de la libertad y yo voy hacia el sur.»

En su nerviosismo se olvidaba que ya había caminado dieciséis kilómetros aquel día, pero sus pies lo recordaban muy bien. Mucho antes del anochecer le dolían, presos en aquella envoltura inhabitual de calcetines y botas demasiado grandes, recordándole que ya habían hecho bastante. Se sentó en una piedra y se quitó las botas. Al poco rato sintió frío y, calzándoselas de nuevo, reemprendió la marcha, aunque esta vez caminaba más despacio.

Cuando anochecía, el cielo se cerró y comenzó a llover. No caían los cortos chaparrones primaverales, sino torrentes de agua que le corrían como riachuelos helados por la cara y descendían por el cuerpo hasta las piernas.

Muy a su pesar, se vio obligada a detenerse en el próximo pueblo y buscar cobijo para la noche. La dueña de la posada se sobresaltó al ver a una chica tan joven viajando sola, pero luego se mostró solícita.

—¡Pareces un náufrago! —exclamó, y le preguntó si sabía dónde se dirigía.

—A Lowell, ¿no es así? Bien; la diligencia llegará a finales de semana. Trabaja para mí hasta entonces y te daré alojamiento y comida.

Lyddie dudaba, pero la ropa empapada y los pies llenos de ampollas le recordaron que no estaba bien pertrechada para continuar el viaje. Aceptó agradecida el ofrecimiento de la patrona y trabajó tanto que, antes de que la semana finalizara, la mujer le pidió que se olvidase de Lowell y se quedara. Pero Lyddie no estaba dispuesta a dejarse convencer.

Subió al coche un jueves bajo la misma lluvia deprimente de su llegada. Le dio al conductor tres de sus preciados dólares y se acomodó en un rincón del carruaje. Sólo iban otros dos pasajeros: un hombre y una mujer que parecían estar casados, aunque apenas si se hablaban. La mujer examinó con ojo crítico el vestido, el chal y las extrañas botas de Lyddie y después siguió tricotando, tarea que resultaba harto difícil con el traqueteo de la diligencia.

Los caminos estaban embarrados y les costó dos días llegar a Windsor. Ni siquiera habían salido de Vermont. Lyddie deseaba a menudo haberse ahorrado los dólares y caminar, con lluvia o sin ella. Seguramente hubiera andado a la misma velocidad. Al fin, aquella pareja antipática se apeó en Windsor. La cama de la posada estaba infectada de chinches y a la mañana siguiente se sentía llena de picores y de suciedad. Al llegar a la diligencia se llevó una sorpresa desagradable, pues si con tres

73

pasajeros le pareció que iba repleta, ahora llevaba seis hasta Lowell.

Una de las pasajeras era una chica de aproximadamente su misma edad. Lyddie deseaba preguntarle si ella también iba para ser una chica de fábrica, pero le acompañaba un joven que parecía su hermano y no se atrevió a preguntárselo. Se acordó, además, de la forma en que la miró la anterior pasajera.

Los seis iban apiñados en los asientos. Apenas si quedaba sitio para que se movieran pero, para colmo de males, los saltos y el cabeceo del coche eran insoportables. Lyddie intentaba sentarse con delicadeza, apoyándose primero en una cadera y luego en la otra para evitar, en lo posible, las contusiones. Uno de los caballeros encendió una gran pipa y el olor casi la hizo vomitar. Afortunadamente, otro caballero le recordó con acritud que había señoras delante y el primero, a regañadientes, apagó la pipa contra las fijaciones de metal de la puerta. Pero el hedor se había añadido al aire viciado y a los fuertes olores corporales. Lyddie añoraba el olor saludable del patio de la granja. Las personas eran más estúpidas que los animales salvajes.

Y sin embargo, aunque los demás se concentraban para mantenerse en su asiento en el bamboleante carruaje, la miraban a ella, especialmente a la ropa. Al principio estaba molesta, pero conforme avanzaba el viaje, la rabia se iba apoderando de ella. Qué maleducadas eran aquellas personas que se tenían por aristócratas.

La ropa de los pasajeros era una calamidad antes de que llegaran a Lowell. El deshielo y las lluvias primaverales habían convertido gran parte del camino en un lodazal. A pesar de la destreza del cochero, a la ma-

75

ñana siguiente temprano se quedaron atascados. Los pasajeros se vieron obligados a aligerar el coche y los cuatro hombres, a las órdenes del cochero, a sacar las ruedas del barro.

Lyddie observaba a los infortunados caballeros cómo tiraban, empujaban y sudaban en vano. El cochero les animaba desde lo alto del pescante. Los hombres gruñían y juraban por lo bajo, mientras sus elegantes pantalones y abrigos se volvían marrones del barro y sus preciosos gorros de piel rodaban camino abajo.

Tras contemplarlos más de un cuarto de hora, Lyddie no pudo soportar más su estupidez. Se despojó del raído chal, se lo enrolló en la cintura y, levantándose las faldas, las introdujo debajo del chal. Encontró una piedra lisa y la colocó bajo la rueda atascada. A continuación se puso manos a la obra. Empujando con sus hombros estrechos, quitó de en medio a dos hombres estupefactos y, apoyando su fuerte hombro derecho en la rueda atascada, ordenó a los hombres que empujaran desde el portaequipajes gritando:

—Uno, dos, tres… ¡Arriba!

Oyó por encima de su cabeza la carcajada del cochero. Los hombres que estaban a su lado ni siquiera sonreían, pero empujaron todos a una. La rueda giró sobre la piedra y la diligencia se liberó, lista para continuar el viaje.

Estaba llena de suciedad, pero le importaba un bledo. Sólo pensaba en lo ignorantes e inútiles que habían demostrado ser sus compañeros de viaje. Ninguno de ellos le dio las gracias, pero Lyddie ni se dio cuenta. Se alegraba de avanzar, pero no de viajar dentro. Miró hacia arriba y le preguntó al todavía sonriente cochero:

—¿Puedo subir?

Él asintió con un gesto. Lyddie trepó a su lado. Ninguno de los caballeros le tendió la mano para ayudarla, pero no lo necesitaba. Se había pasado la vida trepando a los árboles, subiendo escaleras de mano y a los techos.

El cochero aún se partía de risa cuando restalló el látigo sobre los caballos. Les llegaron de abajo los gritos de protesta de los pasajeros. Sacudió las riendas y los ojos le brillaban al aumentar los gritos de los airados ocupantes, que intentaban limpiarse el barro para ocupar nuevamente sus asientos en la diligencia.

El hombre saludó a Lyddie con la cabeza y sujetó la pareja de caballos delantera durante un momento, hasta que cesaron los bandazos en el interior del coche.

—Eres una chica con valor —dijo mientras buscaba en la caja situada a sus espaldas y sacaba una pesada manta—. Aquí tienes, esto te protegerá del frío.

Lyddie se arropó con la manta de los pies a la cabeza y dijo:

—Idiotas. La mayoría de ellos tiene menos sentido común que las púas de un puerco espín. ¿Por qué no les dijo lo que debían hacer?

—¿Y perderme la diversión?

Lyddie no pudo contener la risa al recordar el aspecto de aquellos caballeros que, sudorosos y sucios, soltaban palabrotas y ahora envenenaban más si cabe el aire viciado del coche con el hedor de su sudor y el barro del camino. En efecto, alguien levantaba la ventanilla para que entrara un poco de aire limpio y fresco.

—Así que vas a trabajar en la fábrica.

—Necesito dinero —dijo Lyddie.

Mirándola de reojo, él le dijo:

—Esas jóvenes se visten como damas de Boston.

—No me interesan los vestidos elegantes. Hay deudas en mi granja...

—Así que la granja es tuya.

—No, es de mi padre, pero se fue al oeste hace cuatro años y no sabemos nada... —dijo Lyddie.

—Eres valiente. ¿No tienes hermanos que te ayuden? —le preguntó.

—Uno y ha sido de gran ayuda, pero mi madre lo metió en el molino, así que hasta... —añadió Lyddie.

—¿Tienes a alguien que cuide de ti en Lowell? ¿Amigos o parientes?

Ella negó con la cabeza.

—Me las arreglaré bien yo sola.

—No me cabe la menor duda, pero es bueno tener un amigo con quien charlar. Te llevaré donde mi hermana; regenta una pensión en el cinco de la Concord Manufacturing Corporation —dijo él.

—Le estoy muy agradecida por su amabilidad, pero...

—Tómalo como pago por tu ayuda.

—Usted pudo desatascar el coche en un momento, ¿verdad?

—Pero no me habría divertido tanto. Conducir una diligencia es un trabajo pesado y solitario, hija mía. Me divierto cuando puedo. ¿Viste las caras de esos caballeros al ser aleccionados por una chiquilla granjera?

Cruzaron el puente y entraron en la ciudad a última hora de la tarde. Y desde luego se trataba de una ciudad. A Lyddie le parecía que había más edificios apiñados ante sus ojos que ovejas en un redil, pero no eran tan suaves y susurrantes como ellas. Eran altos y amenazadores a la luz grisácea del atardecer. Nunca se hubiera imaginado que en el mundo existían tantos ladrillos, dada la cantidad de ellos que tenía cada edificio. Eran gigantescos, de cinco y seis pisos y tan largos como un hermoso pastizal. Las chimeneas arrojaban un humo que llegaba hasta el cielo.

¡Y el ruido! Tuvo el impulso de taparse los oídos, pero mantuvo las manos firmemente sujetas en el regazo. No iba a tener miedo ahora, ella que había abatido a un oso con la mirada y conversado tranquilamente con un esclavo fugado.

Los demás pasajeros, con las ropas embarradas y abundantes maletas, se apearon en el hotel Merrimack. Lyddie supo de un vistazo que era demasiado caro para su bolsa y su persona.

Al llegar al final del trayecto esperó hasta que el cochero comprobó que atendían a los caballos y al coche, y luego acompañó a Lyddie hasta la pensión de su hermana.

—Te he traído una pequeña lasca de granito de Vermont —bromeó con la mujer sonriente y rellenita que les abrió la puerta. A continuación añadió—: Será mejor que entremos por la puerta de atrás. Nos atascamos en un barrizal del camino.

8

Concord Corporation, 5

EN un primer momento creyó que era el oso estrellando la olla contra los muebles, pero en seguida comprendió que la pequeña habitación del ático cobraba vida. Una chica rascó un palito en una caja y se produjo una llamarada surgiendo un olor parecido al de un pequeño infierno. Y todo eso nada más que para encender una vela que apenas iluminaba la habitación en la penumbra que precede al amanecer. Con el estrépito de cinco chicas vistiéndose y peleándose para utilizar el único lavabo, Lyddie no tuvo más remedio que despertarse por completo y comenzó a recordar dónde se encontraba.

A pesar de que estaba mugrienta, la señora Bedlow, la hermana del cochero, fue tan amable que la llevó dentro. La gobernanta de la pensión le dio a su hermano una taza de té y le rogó que se marchara. A continuación hizo que su hijo, un chico de edad aproximada a la de Charlie, llenara una tina de agua caliente en su propia habitación y le ordenó a Lyddie que se bañara. En cuanto se quitó el vestido y el chal, tiesos por el barro, los llevó directamente a una olla de agua que hervía en la cocina de hierro negro.

¡Y qué cocina! Lyddie había oído hablar de aquella moderna maravilla. Lo primero que vio al entrar cuando salió del dormitorio de la gobernanta —con la cara enrojecida de tanto frotársela y el cuerpo aún perezoso y caliente que reventaba las costuras del harapiento vestido— fue la cocina. Se quedó contemplándola como si se tratara de un monstruo exótico de las profundidades marinas. De haber tenido elección, Lyddie hubiera acercado una silla para sentir el maravilloso calor y estudiar aquel prodigio, pero la señora Bedlow la envió corriendo al comedor. Éste se llenó pronto de un ejército de unas treinta mujeres jóvenes que aún conservaban la energía tras una larga jornada en la fábrica. Lyddie casi metió la cabeza en el plato de cerdo con judías, así que, mucho antes de que las demás terminaran, la señora Bedlow la condujo escaleras arriba hasta el cuarto piso. Entraron en la habitación del ático y se dejó caer en el lecho, estando apenas despierta para darle las gracias por su gentileza.

A la mañana siguiente, la primera de su nueva vida, se quedó un ratito en la cama disfrutando del silencio del ático vacío. Después de tres días balanceándose en una diligencia, venir a compartir habitación con otras cinco chicas —y, además, la cama con una extraña que en mitad de la noche la despertó roncando y removiéndose— y que le perforaran la cabeza los gritos, protestas y el martilleo de voces, le pareció que la alcoba ciega de los Cutler era un remanso de paz. Pero no iba a mirar atrás. Echó el edredón a un lado. No tenía otra cosa para ponerse que el estrecho vestido casero. ¡Qué le iba a hacer! Se vistió y bajó los cuatro pisos llevando en los pies sólo los zurcidos y rezurcidos calcetines.

81

La habitación delantera estaba ocupada por dos mesas grandes que Tim, el hijo de la señora Bedlow, ponía a toda prisa. Invadía la casa un maravilloso aroma a café, tarta de manzana, fritura y ¿sería pescado? Todo ello salía de la mágica cocina de hierro, como si quisiera demostrar que podía preparar muchos platos deliciosos a la vez.

—Dejé las botas... —comenzó a decir Lyddie.

La señora Bedlow levantó la vista. Tenía la cara ardiendo del calor.

—Se están secando en el fuego, pero no te van a servir aquí.

—¿Eh?

—La ropa y las botas, sencillamente no sirven. Ese vestido, o lo que queda de él, sólo vale para echarlo al fuego. Me temo que en mi olla se convirtió en estofado de barro. ¿En qué estaría pensando el loco de mi hermano para permitir que una chica...?

—Oh, él no tuvo la culpa, señora —dijo Lyddie deslizando los pies en las botas de Triphena, que estaban rígidas después de toda una noche al lado del fuego—. La culpa fue de los hombres. Eran tan estúpidos...

—No me digas más. Conozco bien a ese hermano mío. Estaría sentado en lo alto del pescante riéndose y sin dirigir las maniobras.

—Pero tenía que ocuparse del coche y los caballos...

—Tonterías. Lo hace para divertirse y humillar a las personas superiores a él. Destrozaría un coche si creyera que eso le proporciona una historia divertida para contar en la taberna por la noche. Y todo a costa de tus ropas y tu dignidad.

—Bueno, en cualquier caso no he perdido mucho.

—¿Tienes algo de dinero?

Lyddie dudaba. En realidad no lo tenía. Era el dinero de Triphena, no el suyo.

—Si voy a recomendarte a la Concord Corporation necesitas tener un aspecto decente. Les gusta contratar a chicas con clase.

Lyddie volvió a enrojecer.

—Desde luego, vales tanto como cualquiera e intuyo que eres más trabajadora que muchas, pero en la fábrica te miran la ropa y las botas antes de tomar una decisión. El Todopoderoso mira a los corazones, pero los hombres a la apariencia externa, dice el libro sagrado, y me temo que también es válido para las mujeres. Así que... —miró con tristeza al estrecho vestido hecho en casa y a las botas, tiesas y desgastadas. Lyddie levantó la cabeza.

—Me ha sobrado algo de dinero del viaje, pero es un préstamo.

—Puedes devolverlo cuando trabajes. ¿Quieres echarme una mano ahora? Me parece que las chicas volverán a casa temprano para el desayuno. El río viene crecido y seguramente detendrán las ruedas que mueven las máquinas. Eso significa que ellas tienen fiesta, pero yo no.

Lyddie se ató en seguida un delantal y cogió la tarta que la señora Bedlow sacaba de las entrañas de la cocina.

—Sí —continuó la señora Bedlow—. Tendrán algunos días libres hasta que las aguas bajen —sonrió—. Tiempo suficiente para conseguirte ropa adecuada y una plaza en la fábrica.

Si las chicas le habían parecido ruidosas al levantarse, aquello no fue nada comparado con su entrada para desayunar. Irrumpieron por la puerta y cada una elevaba su voz para hacerse oír por encima de las demás. Se respiraba un aire de fiesta que apenas se detuvo para la bendición de la mesa y entró de nuevo en plena erupción antes de que se extinguiera el eco del «amén».

A cada paso que daba le bailaba y le dolía el pie correspondiente, embutidos ambos en las botas de Triphena, pero Lyddie, con gran decisión, ayudó a Tim a servir las dos amplias mesas. Trajeron grandes fuentes de bacalao frito, picadillo, bolitas de puré de patata, gachas de calabaza con unas enormes jarras de nata, tostadas con mantequilla, tarta de manzana y jarras de café y de leche. Lyddie jamás había visto a los segadores comer tanto y armar tanto alboroto; y estas chicas se suponía que eran damas.

—¡Hola! —una voz rompió el estrépito—. No nos han presentado.

En la habitación se hizo un repentino silencio.

—No seas grosera, Betsy —dijo otra—. La muchacha estaba cansada ayer por la noche.

Lyddie se dio la vuelta para ver quién había dicho esto último, porque hablaba tal y como Lyddie se imaginaba lo hacían las damas. La joven que había hablado estaba sonriendo.

—¿Llegaste anoche, verdad querida?

Lyddie asintió con un movimiento de cabeza.

—Pues no te avergüences. Todas fuimos nuevas alguna vez, incluso nuestra Betsy.

Las demás soltaron risitas disimuladas.

—Soy Amelia Cate.

Tenía un nombre aristocrático: Amelia. La cuadraba. Era casi tan bonita como la dama vestida de rosa

84

que estuvo en la posada el año anterior. Su piel era blanca y tenía la cara y las manos largas y delicadas. Se veía que las demás la respetaban, pues de lo contrario no se hubieran callado cuando habló.

—¿Y tú?

—Lyddie Worthen. *Lydia* Worthen —dijo señalando con un dedo áspero su pecho ceñido por el viejo vestido. A Lyddie le parecía que la habitación estaba llena de mujeres jóvenes, bien vestidas, delicadas, hermosas, y que ella era un cuervo entre pavos reales.

—¿De Vermont, no? —dijo la llamada Betsy, y algunas se rieron.

—¿Qué hay de particular con Vermont? —la voz tenía un ligero rastro del gangueo característico de las Green Mountains—. Yo soy de cerca de Rutland. ¿Y tú, Lyddie?

Lyddie se volvió a mirar a una chica no mucho mayor que ella pero, al igual que las demás, de tez bastante más blanca. Tenía el pelo rubio trenzado en una corona sobre la cabeza y un rostro serio que algunas pecas no conseguían alegrar. Lyddie se estiró las deshechas trenzas castañas y se sintió aliviada al ver que desviaban la atención de ella y entraban de nuevo en una charla generalizada.

Después del desayuno, Amelia y la chica de Rutland, que se llamaba Prudence Allen, se ofrecieron a acompañarla para ir a comprar un vestido adecuado, el delantal del trabajo, zapatos y un casquete. Cuando salían, la señora Bedlow introdujo algo en la mano de Amelia. Resultó ser un dólar que, según ella, era en pago por los daños causados a la ropa de Lyddie por el pícaro de su hermano.

Con gran disgusto para Lyddie, el vestirla de modo

que satisfaciera a Amelia y Prudence se llevó todo el dinero que tenía, incluido el dólar de la señora Bedlow. Estaba tan apenada por aquel derroche, que no pudo disfrutar de sus nuevas prendas, aunque insistieron para que se pusiera las botas nuevas. Sabía perfectamente que nunca había tenido un calzado que le sentara mejor, y la rigidez que notaba en los dedos, los talones y los tobillos sólo era el recordatorio de que llevaba puestas unas elegantes botas de ciudad. Cuando se ablandaran por el uso podría ir a cualquier sitio con ellas, incluso a casa.

Lyddie no supo nunca con certeza cómo se tomó la decisión, pero aquella noche la señora Bedlow le dijo que se mudara del ático a la habitación de Amelia y Prudence en el tercer piso. Las otras chicas se quejarían, como así fue, de que una recién venida pasara delante de ellas en la elección de dormitorio, pero Amelia convenció a la señora Bedlow. Puesto que Lyddie no tenía parientes ni amigas en la casa ni tan siquiera en la ciudad, necesitaba que ellas la cuidaran. La señora Bedlow, sintiéndose culpable todavía a causa de su hermano, accedió. Así es como trasladaron a Lyddie a un dormitorio más pequeño del tercer piso para compartirlo con Amelia, Prudence y la obviamente descontenta Betsy, quien desde que su compañera se marchara a New Hampshire la semana anterior, disfrutaba del lujo de una cama para ella sola.

Cuatro en una habitación ya era un lujo de por sí, puesto que la mayoría de los dormitorios albergaban a seis chicas. Aun así, apenas quedaba sitio para moverse entre las dos camas dobles, las dos diminutas mesillas y las diversas maletas y sombrereras de sus compañeras. No había otro sitio para sentarse más que las camas, pero en un día normal de trabajo el único rato de descanso que les quedaba eran las menos de tres horas que transcurrían entre la cena y la campana de silencio. La mayoría de las chicas pasaban sus cortos ratos de tiempo libre en la sala-comedor o en la ciudad, donde había tiendas, conferencias e incluso bailes, regentados por honrados ciudadanos inclinados a quedarse con parte del salario de las trabajadoras.

—Bien, ¿a qué iglesia irás el domingo? —le preguntó Amelia, que se mostraba más concienzuda en sus obligaciones de guardiana de lo que Lyddie hubiera deseado.

Lyddie levantó la cabeza alarmada. Viviendo tan lejos del pueblo como ellos lo hicieron, los Worthen no se preocuparon nunca de pagar el derecho de banco* en la iglesia congregacional del pueblo.

—Yo..., yo no pensaba ir.

El suspiro de Amelia le recordaba a Lyddie que ella era un caso mucho más difícil de lo que la chica mayor se había imaginado.

—¡Oh!, pero debes hacerlo —dijo Amelia.

—Lo que Amelia quiere decir —dijo Betsy levantando la vista de la novela que leía— es que, independientemente del estado de tu alma inmortal, la corporación requiere la asistencia regular de todas sus chicas. Nos hace parecer respetables incluso a aquellas de nosotras que malgastan sus preciosas mentes leyendo novelas.

—¡Oh, Betsy, compórtate!

—Lo siento Amelia, pero si te dejo continuar hablando de sus deberes morales cuando es evidente que la chica los desconoce, esta conversación durará toda

---

* Contribución de los fieles en las iglesias protestantes.

la noche —dejó el libro y mirando directamente a Lyddie, dijo—: Seguramente te obligarán a hacer acto de presencia de cuando en cuando. Los metodistas no presionan a las chicas para que paguen el derecho de banco, así que si tienes poco dinero es mejor que vayas allí. Tendrás que pagarlo cuando den sermones más largos, pero de todas maneras yo siempre recomiendo los metodistas a las chicas nuevas que no tienen ganas especiales de ir a ningún sitio.

—¡Betsy! A Betsy le gusta escandalizar. No tomes sus palabras al pie de la letra —explicaba Prudence pacientemente.

Se cepillaba el largo pelo rubio y parecía una princesa de cuento de hadas, aunque su voz era demasiado prosaica para un libro de cuentos.

—Pero... —¿cómo podía explicarlo Lyddie?—. Pero, ¿no es Massachusetts un país libre?

—Desde luego, querida, aunque aquí hay normas y reglas como en cualquier lugar civilizado. Se imponen por nuestro propio bien, querida. Ya lo verás —dijo Amelia. Betsy puso los ojos en blanco y volvió a su novela.

A la mañana siguiente, la señora Bedlow acompañó a Lyddie. Dejaron atrás las pensiones y cruzaron el puente que conducía al complejo de la fábrica. Entre los dos edificios bajos de ladrillo había una cerca alta de madera. La puerta estaba aherrojada como la de una prisión, pero la señora Bedlow no se arredraba. Se encaminó sin más hacia la puerta de uno de los edificios bajos y entró en él. Lyddie la seguía arrastrando los pies, pues la sala en la que entraron era mayor que la planta principal de la taberna de Cutler y estaba abarrotada de mesas y tableros de escribientes. Había pocos hombres trabajando en la inmensa habitación y levantaban la vista de los lápices y libros de contabilidad al paso de las dos mujeres. Sin embargo, estaba claro que tampoco se trabajaba mucho en la oficina de contabilidad cuando el río iba demasiado crecido para mover la rueda.

La señora Bedlow cruzó la habitación y salió a un patio por la puerta del otro extremo. A Lyddie le pareció tan enorme como para meter en él su granja de las montañas. La puerta principal y los edificios bajos del ala sur, las oficinas, la contaduría y los almacenes, según le explicaba la señora Bedlow, formaban parte del recinto. Los dos lados más cortos del patio estaban ocupados por estructuras algo más altas; eran los talleres de maquinaria y de reparaciones. El ala norte la ocupaba la propia fábrica de algodón, un gigantesco edificio de ladrillo de seis plantas. En un extremo se hallaba la caja de la escalera exterior. En la pared frontal, seis filas de ventanas idénticas parecían mirarla furiosas a través de la llovizna abrileña, como cientos de ojos poco amistosos. El campanario sobresalía por encima del largo tejado y hacía que el edificio pareciera más alto y amenazador.

—A una granjera, todo esto debe parecerle impresionante —dijo la señora Bedlow.

Lyddie asintió con un gesto y se sujetó el chal con fuerza para no temblar.

La señora Bedlow giró hacia el edificio bajo del sur y llamó con los nudillos a una puerta que indicaba: «Apoderado».

—Le traigo una chica nueva —le dijo alegremente al joven que le abrió la puerta—. Recién llegada de la granja y muy sana, como puede usted ver.

El joven apenas miró a Lyddie, pero dio un paso atrás y sujetó la puerta para que ellas pasaran.

—Veré si el señor Graves puede atenderles un momento —dijo altivamente.

—Estos oficinistas se dan aires de gran señor —musitó la señora Bedlow. Pero si intentaba que Lyddie se sintiera más cómoda, no lo consiguió. Ni siquiera la aparición del apoderado supuso un alivio para ella.

—La señora Bedlow, ¿no es así? —era un hombre gordo de aspecto próspero, pero carecía de modales apropiados para recibir en su oficina a una señora de mediana edad.

La señora Bedlow hablaba muy deprisa y tenía la cara colorada. Lyddie estaba segura de que el hombre las despediría de inmediato. Se le veía impaciente mientras la señora Bedlow seguía charlando, pero al final dijo que contrataría a Lyddie por un año. En aquel momento tenía escasez de personal en el taller de tejeduría. El señor Thurston, el oficinista, le daría a la chica el reglamento de la Concord y se ocuparía de que la vacunaran de viruela a la mañana siguiente.

Fueron despedidas con una inclinación de cabeza. La señora Bedlow pellizcó a Lyddie para animarla a que diera las gracias al apoderado por su amabilidad. Lyddie apenas si pudo articular un susurro, pero daba lo mismo. El caballero no la prestaba ninguna atención.

Firmó el contrato en el lugar que el oficinista le indicó, intentado escuchar con la máxima atención las exigencias del documento, y se metió el reglamento que éste le tendía en el bolsillo del delantal. Decidió que lo estudiaría por la noche, pero se le cayó el alma a los pies cuando, tras echarle un vistazo, supo que le resultaría casi imposible comprender el sentido de aquellos papeles. Si Charlie estuviera aquí para leérselo en voz alta y explicarle las palabras largas. Se suponía que las chicas de fábrica no eran unas ignorantes.

Transcurrirían varios meses antes de que pudiera leer de corrido el «Reglamento de las pensiones de la Concord Corporation». No obstante, descubrió al día siguiente que ocultaba verdades desagradables. La primera era la vacunación. Después de comer, la señora Bedlow la llevó al hospital, donde un médico cruel le dio un corte en una pierna y vertió un líquido misterioso directamente en la herida.

Lyddie se angustió aún más cuando, al cabo de unos días, la herida se transformó en una pústula dolorosa, pero se rieron de su miedo y le dijeron que era por su bien. Ya no cogería la viruela, así que debería estar agradecida. Amelia se pasaba el tiempo enseñándole a ser agradecida por cosas hacia las que Lyddie, aunque lo intentaba con todas sus fuerzas, no sentía la mínima gratitud. Finalmente, después de haberse sentido alternativamente asustada y aburrida la mayor parte de las dos últimas semanas, se anunció en la cena que el trabajo se reanudaba el día siguiente. Lyddie sintió una oleada de gratitud al ver que sus días de ociosidad terminaban. Dentro de unas horas sería una verdadera chica de fábrica.

Lyddie se desilusionó, aunque en el fondo bastante aliviada, cuando la señora Bedlow le anunció que la llevaría al taller de tejeduría después de comer. Según le dijo, hay que servir la comida y lavar los platos antes de que la gobernanta disponga de tiempo libre. Además, no era bueno que se cansara el primer día. Bastarían cuatro horas para empezar.

La puerta de la fábrica estaba cerrada.

—No quieren chicas que llegan tarde. Debes preocuparte siempre de estar aquí cuando suene la campana —le explicaba la señora Bedlow.

Entraron en el complejo de la fábrica a través de la oficina, al igual que dos semanas antes, pero esta vez rebosaba de hombres vestidos como caballeros. Todos levantaron la cabeza y las miraron al pasar. A pesar de su ropa nueva, Lyddie notaba que las mejillas morenas le ardían de vergüenza. Agachando su encasquetada cabeza, caminaba lo más deprisa que podía y casi empujaba a la señora Bedlow en su apresuramiento.

Una vez en el patio fue plenamente consciente del ruido sordo. El latido de la fábrica zumbaba a través de la espesa pared de ladrillo y notó las vibraciones de las máquinas al acercarse a la sombría escalera de madera que colgaba amenazadora a un lado del edificio.

La señora Bedlow resoplaba, deteniéndose más de una vez para recobrar el aliento en la ascensión al cuarto piso. Una vez allí, abrió la puerta de golpe y el ruido sordo estalló, convirtiéndose en un rugido. Dio un empujoncito a Lyddie hacia el estruendo.

—El señor Marsden te espera. Él te instalará en tu puesto —gritó mientras desaparecía.

9
El taller de tejeduría

CIELOS, qué barullo! Estrépito y ruido seco, fuertes vibraciones, gemidos, quejidos y ruido metálico, además de chirridos y silbidos producidos por enormes correas de cuero deslizándose sobre ruedas. Cuando el cerebro se le aclaró lo suficiente, Lyddie vio, a través del aire espeso, filas y filas de máquinas tenebrosas como el viejo telar manual de la casa del cuáquero Stevens, pero tan diferentes como una pesadilla, porque aquellas criaturas estaban vivas. Parecía que se movían gracias a los ojos —los ojos de unas mujeres jóvenes, hábiles y vigilantes—, y sólo ocasionalmente necesitaban de la rápida intervención de la mano humana para mantenerlas sonando con estrépito.

Desde el mecanismo de ligar que coronaba cada máquina, varillas de madera llevando cientos de hilos de urdimbre, que eran arrastrados desde un inmenso plegador situado en la parte trasera de cada telar, subían y bajaban generando un ruido seco. Las lanzaderas que sujetaban el hilo de trama se arrojaban como aves de rapiña y atravesaban las tupidas mallas de hilos de urdimbre. El peine apretaba los hilos de un golpe. Con una velocidad alarmante, metros y metros de tela se enrollaban en los cilindros plegadores de la parte delantera de los telares.

Las chicas no estaban asustadas y ni siquiera asombradas. Conforme avanzaba con el encargado, las operarias levantaban la vista. Algunas sonrieron y otras les miraron fijamente. A ninguna de ellas parecía importarle el estruendo ensordecedor. ¿Cómo lo soportaban? Lyddie creía que una diligencia, en la lucha del cochero por sujetar los caballos en el descenso de una pendiente, hacía un ruido insoportable. ¡Una simple diligencia! La fábrica eran cientos de diligencias metidas en el propio cráneo, con las ruedas chocando contra los huesos. Tuvo el impulso de darse la vuelta y correr hacia la puerta, bajar las desvencijadas escaleras, cruzar el patio, la oficina y el estrecho puente, dejar atrás las filas de pensiones y continuar hasta salir de aquella ciudad infernal y volver, volver, volver a las verdes colinas y los pastos tranquilos.

Evidentemente, no se movió. Ni siquiera se tapó los oídos para protegerse de aquel asalto. Se quedó, sin más, de pie y callada delante de la máquina a la que le había conducido el encargado y fingiendo que oía lo que le estaba diciendo. Movía la boca, una extraña boquita roja, que asomaba bajo el espeso bigote negro. El exuberante tamaño del bigote era en verdad sorprendente, pues el encargado apenas tenía pelo en la cabeza. Su calva relucía como la madera encerada.

De pronto, ante el asombro de Lyddie, el hombre acercó la boca roja a su oído. Con un movimiento brusco retiró la cabeza, antes de darse cuenta que él gritaba:

—¿Está claro?

Lyddie se le quedó mirando aterrada. Nada estaba claro en absoluto. ¿Qué quería decir aquel hombre? ¿Creía sinceramente que ella había podido oír alguno de sus misteriosos cuchicheos? Pero ¿cómo decirle que sólo oía el bramido salvaje de los telares? ¿Cómo iba a contarle que apenas veía en la penumbra de la inmensa sala, parecida a la de un establo, y cuyo aire era un espeso puré de polvo y pelusa?

Allí estaba, inmóvil, con la boca abierta e incapaz de pronunciar una sola palabra, cuando un brazo la rodeó los hombros. Se estremeció de nuevo al sentir el contacto, antes de darse cuenta de que se trataba de una de las mujeres jóvenes que atendía los telares. Tenía la cabeza tan cercana al oído izquierdo de Lyddie, que pudo oírle decir al encargado:

—No se preocupe, señor Marsden. Me ocuparé de ella.

El encargado asintió, muy aliviado al no tener que tratar con Lyddie o con el telar que le había asignado.

—Bien, trabajaremos juntas. Mis dos máquinas están al lado de la tuya. Soy Diana —le gritó la chica al oído.

Empujó a Lyddie para que estuviera detrás de su hombro derecho, y aunque no le impedía trabajar, la chica mayor podía hablarle al oído izquierdo girando la cabeza levemente hacia la derecha.

De pronto Diana golpeó la palanca metálica situada en el lado derecho de la máquina y el telar se estremeció antes de pararse. A ambos lados de la calada, hecha del entrecruzamiento de los hilos de urdimbre, había unas estrechas cajas de lanzaderas de madera. Recogió una de la caja situada a la izquierda. La lanzadera era de madera, con las puntas afiladas y rematadas en cada extremo con cobre. Era del tamaño aproximado de una mazorca, pero un poco más ancha y hueca para que pudiera arrastrar el hilo de trama de una bobina o canilla. Moviendo las manos a tal velocidad que Lyddie las seguía a duras penas, Diana sacó una canilla casi vacía e introdujo otra llena que se guardaba en una caja de madera llena de bobinas colocada cerca de sus pies. A continuación puso la boca en el ojal perforado en un extremo de la lanzadera y succionó el cabo del hilo de trama.

—A esto le llamamos el beso de la muerte —gritó, mientras sonreía irónicamente para suavizar sus palabras. Tiró del hilo sacando unos treinta centímetros, lo enrolló con rapidez en uno de los dos ganchos de hierro y volvió a colgar los ganchos en la última vuelta de tejido. Los ganchos estaban sujetos a unas pesas de hierro en forma de campana por medio de un cordón de cuero de, aproximadamente, un metro de longitud—. Tienes que mantener los templenes en movimiento. Estiran la tela según cae —dijo señalando los nuevos metros de género—. Ahora asegúrate de que la lanzadera está en los tacos, siempre aquí, a tu derecha —le dijo Diana al oído mientras ajustaba bien el taco del extremo derecho—. No queremos lanzaderas volantes. Bien, ya estamos listas para seguir.

Diana cogió la palanca metálica y la empujó hacia el telar colocándola en una ranura. Entre sacudidas, el telar recobró el movimiento una vez más.

Durante la primera hora Lyddie miraba, intentando básicamente no estorbar a Diana mientras se movía entre las tres máquinas, dos frente a ella y una a su lado. La joven rellenaba las lanzaderas cuando se iban quedando sin hilo y volvía a colgar los templenes para mantener la tela tirante. Entonces, sin previo aviso ni razón aparente para Lyddie, Diana detuvo de golpe uno de los telares.

—Ves, se ha roto un hilo de urdimbre —dijo señalando a la calada—. Si no lo atrapamos tendremos problemas. Una lanzadera vacía puede estropear unos centímetros de tela, pero un hilo de urdimbre roto deja desperfectos en varios metros de tejido. No nos pagan cuando estropeamos una pieza.

Diana pellizcó una bolsita colgada de la maquinita de ligar que escupió polvos de talco, y se frotó las yemas de los dedos con ellos. Tiró de los cabos rotos del hilo y le enseñó a Lyddie cómo unirlos mediante el nudo de tejedor. Cuando Diana ataba los cabos era como si se fundieran, dejando el nudo invisible. Se echó a un lado.

—Ahora tú lo pones en movimiento.

Lyddie era una chica de campo. Estaba orgullosa de su fuerza, pero tuvo que emplear todas sus energías para tirar de la palanca y colocarla en su sitio. Rompió a sudar como un caballo inexperto tirando del arado. Los templenes no eran mayores que una manzana, pero cuando Diana le pidió que moviera uno de ellos, sintió como si alguien hubiera atado una piedra gigantesca en el extremo del cordón de cuero. Aun así, la fuerza física que requería el trabajo empalidecía ante la destreza necesaria para enhebrar una lanzadera rápidamente o, que Dios la ayude, hacer uno de aquellos infernales nudos de tejedor.

Todo sucedía con demasiada rapidez —una bobina llena de hilo de trama apenas duraba cinco minutos y había que reemplazarla— y el ruido era terriblemente ensordecedor. La alta y serena Diana se movía de telar en telar como el ángel silencioso que salvó a Daniel de las garras del león.

Había momentos en que los tres telares funcionaban a la perfección: las lanzaderas llevaban canillas llenas, los tres templenes sujetaban la tela y no se rompía ningún hilo de urdimbre. En uno de esos respiros, Diana condujo a Lyddie hasta la ventana más próxima. El alféizar estaba rebosante de flores que resplandecían en las macetas, y alrededor del marco alguien había pegado páginas sueltas de libros o revistas. Diana estiró el borde doblado de un poema. La mayoría de las hojas estaban amarillentas.

—No nos queda mucho tiempo para leer hoy en día. Solíamos tener algo más. ¿Te gusta leer, Lyddie? —dijo Diana.

Lyddie se acordó de las normas que todavía intentaba descifrar penosamente cuando nadie la miraba.

—No tengo muchos estudios.

—Bien, eso tiene arreglo. Te ayudaré, si quieres, alguna noche —dijo la joven.

Lyddie la miró agradecida. Ante Diana no necesitaba disculparse o avergonzarse de su ignorancia.

—Necesito un poco de ayuda con las normas...

—Yo no me preocuparía. Son un tormento para todas nosotras. ¿Por qué no traes el reglamento al número tres esta noche y sudamos tinta descifrando entre las dos esa cosa horrible?

Amelia estaba molesta después de cenar aquella noche al ver que Lyddie se preparaba para salir.

—Tu primer día deberías descansar.

—Estoy bien —dijo Lyddie y, en efecto, se sentía estupendamente cuando el ruido del taller de tejeduría quedaba lejos de sus oídos. Un poquito cansada, desde luego, pero no agotada.

—Voy a estudiar un poco —dijo, sintiéndose orgullosa de decir tal cosa.

—¿Estudiar? ¿Con quién?

—Con la chica con la que trabajo en el taller; Diana... —se dio cuenta que ignoraba su apellido.

Amelia, Prudence y Betsy trabajaban en el taller de hilandería, en el tercer piso, por lo que supuso que no conocían a Diana. Betsy levantó la vista de su omnipresente novela.

—¿Diana Goss? —preguntó.

—No lo sé. Diana. Ella ha sido hoy muy amable conmigo.

—¿Diana Goss? —repitió Amelia—. Oh, Lyddie, no te dejes engañar.

—¿Eh? —Lyddie no daba crédito a sus oídos.

—Si se trata de Diana Goss, es una conocida radical y Amelia se preocupa —dijo Prudence.

—No creo que nuestra primita del campo esté al corriente de quiénes son los radicales conocidos o desconocidos —rió Betsy.

—Conozco a los cuáqueros. ¡Diablos! Son todos abolicionistas, ¿eh? —dijo Lyddie.

—¡Hurra por ti! —Betsy dejó la novela e hizo una pequeña escena, aplaudiendo.

Amelia cosía lazos nuevos en su casquete de los domingos y, al mirar la actuación de Betsy, se clavó la aguja en un dedo en lugar de hacerlo en el borde del sombrero. Se metió el dedo en la boca y, molesta, levantó la vista:

—Me gustaría que no siguieras diciendo cosas como «diablos» y «eh», Lyddie. Es tan..., tan...

—Sólo hablan así las chicas nuevas de Vermont —dijo Prudence, intentando disimular su propio acento montañés.

Lyddie no supo qué hacer. No quería que sus compañeras de habitación se enfadaran, pero estaba decidida a ver a Diana. No se trataba únicamente de las estúpidas normas: quería aprenderlo todo para llegar a ser tan competente como la chica alta. Sabía ya lo suficiente sobre la vida en la fábrica como para darse cuenta que las buenas trabajadoras del taller de tejeduría ganaban mucho dinero. Era bien distinto a ser una criada, que trabajando mucho conseguía sólo agotamiento como recompensa.

—Bien. Volveré pronto —dijo atándose el sombrero.

—Preferiría que no fueras —dijo Amelia con frialdad.

Lyddie sonrió. No quería parecer desconsiderada ni tan siquiera desagradecida, pero le resultaba molesto estarle siempre agradecida a Amelia.

—No quiero que te preocupes por mí. Sé cuidar de mí misma, ¿eh?

—¡Ja! —el monosílabo le salió a Betsy como un bufido.

—Es que no has estado aquí el tiempo suficiente para saber ciertas cosas. Amelia no quiere, y ninguna de nosotras tampoco, que te veas en una situación delicada —dijo Prudence.

Por un momento, Lyddie temió que Amelia e incluso Prudence comenzaran a sermonearla, así que se ciñó el chal y dirigiéndose a la puerta dijo:

—Tendré cuidado —si bien no tenía ni idea de qué prometía guardarse.

La pensión de Diana estaba sólo dos casas más allá de la suya. La construcción era idéntica: un edificio de ladrillo de cuatro plantas con filas de ventanas alineadas que parpadeaban como ojos soñolientos al resplandor de lámparas y velas encendidas, destacando en la oscuridad de una noche de abril.

La puerta principal no estaba cerrada con llave, por lo que entró en la amplia habitación delantera, similar a la de la señora Bedlow, ocupada casi toda ella por dos amplias mesas de comedor y con el remedo de una sala de estar en un lado. Al igual que en la sala de la señora Bedlow, las sillas habían sido apartadas de las mesas y las chicas charlaban, cosían y leían en la zona de estar. El ruido y el ajetreo eran semejantes al de un gallinero. Los buhoneros venían de la calle a tentar a las chicas con cintas y bisutería. Un frenólogo estaba en un rincón midiendo el cráneo de una muchacha y preparándose para hablarle de su carácter y aptitudes a partir de sus descubrimientos. Otras contemplaban ensimismadas esta consulta.

Lyddie cerró la puerta tras de sí, pero permaneció en el umbral indecisa sobre los pasos a dar. ¿Cómo podía preguntar por Diana si ni siquiera sabía su apellido?

No necesitaba preocuparse. Vio que, por encima de la masa vociferante, Diana se levantaba de la silla en el rincón y se acercaba a ella. La sonrió y en su larga y seria cara se formaron unos graciosos hoyuelos.

—Estoy muy contenta de que hayas venido. Vamos arriba, donde podremos hablar sin pegar gritos.

Era un alivio subir las escaleras y dejar atrás los dos pisos bulliciosos. En la habitación de Diana no había nadie.

—¡Qué suplicio! —dijo Diana como si le leyera el pensamiento—. A veces vendería mi alma por un momento de tranquilidad, ¿no crees?

Lyddie asintió con la cabeza. De pronto se sentía avergonzada de estar con Diana, que le impresionaba mucho más lejos de los telares, cuando escuchaba su deliciosa y elegante voz, grave y profunda como la llamada de una paloma salvaje.

—Para empezar, tenemos que presentarnos. Soy Diana Goss —dijo, y debió notar un parpadeo en los ojos de Lyddie, porque añadió—: La infame Diana Goss —dijo sonriendo.

Lyddie enrojeció un poco más.

—Así que te han prevenido.

—No, no...

—Bien, entonces lo harán. Soy amiga de Sarah Bagley.

La miraba para observar su reacción ante el nombre, y al no ver ninguna siguió con otros:

—¿Amelia Sargeant? ¿Mary Emerson? ¿Huldah Stone? ¿No? Bien, oirás esos nombres bien pronto. Nuestro crimen ha sido reclamar mejores condiciones de trabajo. Entonces, ¿por qué nos temen las propias operarias? Querida Lyddie, la propia naturaleza de la esclavitud le hace al esclavo temer la libertad —dijo mirando a Lyddie de nuevo.

—No soy una esclava —dijo Lyddie más ardientemente de lo que deseaba.

—No has venido aquí para que te eche un sermón. Lo siento. Háblame de ti.

A Lyddie le resultaba difícil hablar de sí misma, no estaba acostumbrada. No necesitaba hacerlo con Amelia, Prudence y Betsy. Las tres —Amelia en especial— estaban hablándole siempre de sí mismas o intentando que se pareciera a ellas. Además, ¿qué tenía ella de interesante? ¿Qué querría saber alguien como Diana?

—Está Charlie —empezó, y antes de darse cuenta la explicaba que estaba allí para ganar dinero y liquidar las deudas de su padre, de manera que su familia y ella pudieran volver a casa.

Diana no sonrió con ironía ni se rió a carcajadas, como estaba segura haría Betsy. En ningún momento la sermoneó como si fuese una niña retrasada en la escuela, según hacía Amelia a menudo; ni le dio una sola explicación, tal y como Prudence se hubiera sentido obligada a hacer. No; aquella chica alta, sentada en el borde de la cama, la escuchaba en silencio y absorta hasta que Lyddie se quedó sin historia que contar. Estaba casi sin aliento, pues en su vida había dicho tantas palabras seguidas en el corto espacio de unos minutos. Turbada por haber hablado tanto de sí misma, le preguntó:

—Pero creo que ya sabes cómo son las cosas de familia, ¿eh?

—Verdaderamente, no lo sé. Apenas puedo recordar la mía. Sólo a mi tía, que me crió hasta los diez años y ahora está muerta.

Lyddie hizo un gesto compasivo, pero Diana lo rechazó:

—La fábrica es mi familia. Me proporciona multitud de hermanas por las que preocuparme, pero no creo que tenga que hacerlo por ti. Tú sabes lo que es trabajar duro, ¿verdad?

103

—No me importa el trabajo, pero el ruido...

—Sí, el ruido es terrible al principio, pero te acabas acostumbrando —dijo Diana volviendo a reír.

A Lyddie aquello le parecía imposible, pero si Diana lo decía...

—Y supongo que tampoco te parece excesivamente larga una jornada de trece horas.

El reloj nunca había controlado los días de Lyddie.

—Yo trabajo hasta que la tarea está terminada, pero jamás había tenido que pararme a una hora fija por las tardes.

—¿El salario te parece justo?

—No m'han pagado todavía, pero por lo que he oído...

—¿Qué ganabas en la posada?

—No lo sé. Creo que unos cincuenta centavos a la semana. Se lo mandaban a mamá. Triphena decía que al ama a veces se le olvidaba. Supongo que Charlie... —Lyddie calló. ¡Ni Charlie ni su madre sabían dónde estaba!

—¿Qué te pasa, Lyddie?

—No he escrito a Charlie ni a mi madre. No saben dónde estoy —«Suponiendo que la necesitaran, ¿cómo la encontrarían?» El pánico se iba apoderando de Lyddie. Estaba aislada de ellos, igual que si se hubiera ido al fin del mundo. Quedaba fuera de su alcance.

—¿Cuándo me pagarán?

—Si necesitas papel...

—Y también el franqueo. Tengo que pagarlo por adelantado. Ellos no tienen dinero para pagarlo cuando reciban la carta.

—Yo me encargo del franqueo.

—No puedo tomarlo prestado. Ya debo demasiado.

Pero Diana sencillamente insistía. Lyddie debía comunicar a su familia inmediatamente dónde estaba. Le trajo papel, la pluma, el tintero y un tablero grueso para que se apoyara. Lyddie se hubiera avergonzado al tener que hacer las letras tan trabajosamente delante de Diana, pero ella cogió un libro y le hizo sentirse como si estuviera sola.

Querida madre:

Estaras sorprendida de saver me ido a trabajar a Lowell. Estoy en el taller de tegeduría en la Concord Copr. Malojo en el numero 5 si me escrives. Todos son buenos y la comida es avundante y savrosa. Estoy aorrando dinero para pagar las deudas.

Estoy bien. Espero qe tu y las niñas tanvien.

Tu fiel ija,
Lydia Worthen.

Era un abuso coger otra hoja para escribir a Charlie, pero Diana había dicho que también debía escribirle a él.

Querido ermano:

No te sorprendas. me ido a Lowell para ser chica de favrica. Todos son buenos. El trabajo vien, pero las maquinas ruidosa, creme. La paga es vuena. Aorrare pa debolber la deuda. Aun podemos brincar (ja, ja)

Tu ermana qe te quiere,
Lydia Worthen.

105

P.D. Estoi en Concord Corp., 5 si puedes me escrives. Perdona todas las faltas. Tengo mucha prisa.

Dobló las cartas, las selló con el lacre de Diana y puso las direcciones. Antes de que le hablara de nuevo del franqueo, Diana se las quitó de la mano.

—De todas formas, tengo que ir mañana. Déjame franqueártelas.

—Te lo devolveré en cuanto me paguen. Tan pronto como le pague a Triphena... —suspiraba Lyddie.

—No. Esta vez es mi regalo de bienvenida. Los regalos no se pagan —dijo Diana.

La campana tocó el aviso de silencio.

—No hemos ojeado las estúpidas normas. Bien, en otra ocasión... —dijo Diana.

Diana la acompañó hasta el número cinco. La noche era clara y fría, aunque en la ciudad las estrellas eran pálidas y se veían lejanas.

—Hasta mañana —dijo Diana en la puerta.

—Te estoy muy agradecida por todo —dijo Lyddie.

—Tu familia tiene que saberlo. Estarán preocupados —dijo Diana mientras movía la cabeza.

Sus compañeras de habitación ya se estaban acostando.

—Llegas tarde —dijo Amelia.

—He venido en cuanto sonó la campana.

—Bah, no es que llegues realmente tarde, sino que Amelia no aprueba dónde has estado —dijo Betsy.

—Era Diana Goss, ¿verdad? —preguntó Amelia.

—Sí. ¿Y?

Lyddie se quitó el casquete y el chal. «¿Y qué? ¿Qué quería decir Amelia?» Ésta contestó a su propia pregunta:

—¿Ha intentado que te unas?

Lyddie doblada el chal sin comprender todavía.

—Quiere saber si te ha amordazado y torturado hasta prometerle que te unirás a la Asociación para la Reforma del Trabajo Femenino —dijo Betsy.

—¡Oh, Betsy! —dijo Prudence.

—No ha mencionado eso —dijo Lyddie. Dio un rodeo a la cama de Amelia y Prudence y las maletas hasta su lado de la cama que compartía con Betsy. Se sentó en el borde y comenzó a quitarse el calzado y las medias.

—Entonces, ¿qué habéis estado haciendo todo este tiempo?

Betsy cerró el libro de golpe.

—¿Y a ti qué te importa, Amelia?

—Está bien. Sólo me dio papel para que escribiera a mi familia contándoles dónde estoy —dijo Lyddie. No quería que sus compañeras de habitación la armaran por nada.

—¡Oh, Lyddie!, qué desconsideradas hemos sido. No te lo ofrecimos —dijo Prudence.

—No importa. Ya lo he hecho —dijo Lyddie.

—Esa chica no es trigo limpio. Tienes que observarla. Créeme, Lyddie. Sólo pienso en tu propio bien —dijo Amelia entre dientes.

Betsy, bufando de rabia, se acercó a la vela y la apagó de un soplo cuando la campana del último aviso de silencio comenzó a tocar.

10
Oliver

L A campana de las cuatro y media despertó a toda la casa. Desde todas las direcciones, Lyddie oía las voces agudas de las chicas llamándose unas a otras e incluso cantando. Alguien en otro piso imitaba a un gallo. En el otro lado de la cama, Betsy refunfuñaba y se dio la vuelta, pero Lyddie estaba levantada y se vestía rápidamente en la oscuridad, como hizo siempre en el ático ciego de la posada.

Sentía un vacío en el estómago, pero no hizo caso. No desayunaría hasta las siete, así que tenía dos horas y media por delante. A las cinco, las chicas se agolparon en la puerta principal, se abrieron paso a codazos para subir la escalera exterior situada en el punto más lejano de la fábrica, limpiaron las máquinas y esperaron a que comenzara la jornada.

—¿No estás muy cansada esta mañana? —le preguntó Diana a modo de bienvenida.

Lyddie negó con la cabeza. Le dolían los pies, pero también se hubiera sentido cansada después de empujar el arado todo un día.

—Bien. Me temo que hoy será algo más duro.

Trabajaremos con los tres telares a la vez, ¿de acuerdo?, hasta que te sientas segura de todo.

Lyddie notaba que la chica mayor hablaba susurrando como en la iglesia a pesar de que la gran sala de telares estaba igual de silenciosa. El único ruido existente era el chirrido de las correas de cuero en el techo, que conectaban las ruedas del taller de tejeduría con la gigantesca rueda hidráulica del sótano.

El encargado llegó saludando con la cabeza. Colocó un taburete de madera bajo una cuerda que colgaba entre el montaje de ruedas y correas situado sobre su cabeza. Tenía la boca pequeña y roja y, apretando los labios, se subió al taburete y sacó el reloj de bolsillo. En aquel momento, la campana del campanario del tejado comenzó a sonar. Tiró de la cuerda y la gran correa de cuero se transformó de una polea loca en otra tensa, y al momento los casi cien telares silenciosos, en un concierto estridente, temblaron y rugieron al volver temibles a la vida. Había comenzado el primer día completo de Lyddie como chica de fábrica.

A los cinco minutos tenía la cabeza como un leño al que estuvieran astillando. La sacudía constantemente, como si de esa manera se liberase del ruido o al menos del dolor, pero ambos aumentaban. Por si fuera poco, a las pocas horas de permanecer de pie calzada con sus flamantes botas, los pies se le habían hinchado tanto que los cordones le cortaban la carne. Se agachó con rapidez para aflojarlos, pero al comprobar que el del pie derecho se había hecho un nudo, casi se echa a llorar. O quizá las lágrimas obedecían al polvo revuelto y a la pelusa.

Ahora que se daba cuenta, notaba que apenas podía respirar; el aire estaba muy cargado de humedad y residuos. Aprovechó un momento para correr hasta la ventana. Necesitaba aire fresco, pero la ventana estaba clavada para protegerles del frío de las mañanas de abril. Apoyó la frente en los cristales aunque estaban calientes. Rozó con el delantal los tiestos de geranios rojos que atiborraban el alféizar y que florecían con el calor de aquella sala. Tosió para dejar que el aire le entrara por la garganta y los pulmones.

No vio a Diana, pero notó su presencia.

—El señor Marsden no te quita ojo —dijo con dulzura la chica mayor, y la rodeó los hombros con un brazo para conducirla de nuevo a los telares. Señaló el telar parado y el hilo de urdimbre roto que debía anudar. Aunque Diana había detenido el telar, Lyddie siguió frotándose las yemas de los dedos con los polvos de talco, y dudaba antes de sumergir las manos en las entrañas de la máquina. Diana le urgió a que lo hiciera mediante un ligero toque.

«Abatí a un oso negro con la mirada», se decía Lyddie a sí misma. Respirando profundamente, pescó los cabos rotos y comenzó a hacer el nudo de tejedora que Diana le había enseñado innumerables veces la tarde anterior. Finalmente, Lyddie consiguió hacer torpemente un nudo y Diana tiró de la palanca. El telar, quejumbroso, reanudó la marcha.

¿Se acostumbraría alguna vez a este infierno?, e incluso a las chicas cuando salían a las 7.00, se abrían paso a empujones para cruzar el puente y enfilaban la calle donde estaban las pensiones; engullían el abundante desayuno y corrían de vuelta, con los estómagos revueltos, para la «llamada» de las 7.35. Prácticamente la mitad del tiempo que tenían para comer se les iba en subir y bajar las escaleras, cruzar el patio y el puente y seguir por la calle; es decir, en ir y venir de las comidas. El barullo en el comedor era casi tan grande como el estruendo de la fábrica: treinta chicas jóvenes mascando y gritando al mismo tiempo, estirándose para alcanzar las fuentes de tortas y jarras de almíbar e ignorando los gritos que, desde el otro extremo de la mesa, les pedían que pasaran las cosas.

Las tranquilas comidas con Triphena en el rincón de la cocina, incluso las míseras escudillas de sopa de corteza de árbol en la cabaña con el poco hablador Charlie, le parecían un banquete comparadas con la enormidad, prisas y ruido que tenían los asuntos en casa de la señora Bedlow. La media hora de la comida, con más alimentos de los que nunca le habían puesto delante hasta el momento, era peor que el desayuno.

Por fin sonó la campana de la tarde y el señor Marsden tiró de la cuerda señalando el término de la jornada. Diana la acompañó hasta el lugar, al lado de la puerta, donde las chicas dejaban los casquetes y los chales, y le tendió a Lyddie los suyos.

—Vamos a olvidarnos de estudiar el reglamento esta noche. El día ha sido ya bastante largo —dijo.

Lyddie asintió. Le parecía que ayer fue hace siglos. Ni siquiera podía recordar por qué había pensado que el reglamento era tan importante como para ocuparse de él.

Había perdido el apetito. El simple olor de la cena la produjo náuseas: judías con abundante grasa de cerdo, pan integral moreno con queso de naranja, las inevitables patatas fritas y de postre tortas con puré de manzana, pudín de maíz cocido al horno con nata y plum cake. Lyddie mordisqueaba el pan negro y lo

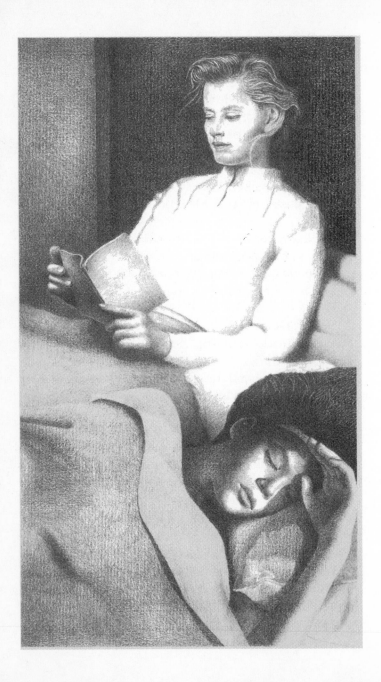

empujaba con tragos de té ardiendo. ¿Cómo podían las demás comer tan afanosamente en medio de aquel estrépito de platos y conversar a gritos? Sólo deseaba irse a su habitación, quitarse las botas, dar masaje a sus pies destrozados y reposar la dolorida cabeza en la almohada. Mientras las otras chicas llevaban las sillas de la mesa a la zona de estar y formaban círculos, Lyddie se arrastró de la mesa a las escaleras.

Betsy ya estaba en la habitación y tenía en las manos la novela que estaba leyendo. Se rió al ver el aspecto de Lyddie.

—¡El primer día completo! Hasta hoy te tenías por una robusta granjera que podía con todo, ¿no es así?

Lyddie ni siquiera intentó responderle. Se dejó caer sin más en su lado de la cama, se quitó el molesto calzado y comenzó a frotarse los pies hinchados.

—Si tuvieras un par más viejo —la voz de Betsy era casi amable— ya usadas y suaves...

Lyddie asintió. Mañana se pondría las botas de Triphena sin el relleno. Todavía estaban rígidas del viaje pero ella había sido tonta yendo y viniendo a las comidas con las nuevas cuando en las viejas había sitio de sobra para que los pies se hincharan.

Se desvistió y poniéndose el raído camisón se deslizó bajo el edredón. Betsy la miró.

—¿Te acuestas tan pronto?

Lyddie asintió de nuevo con un gesto. Era como si los labios fueran incapaces de articular palabras. Betsy sonrió de nuevo. «No se ha reído de mí», pensó Lyddie. «Se acuerda cómo es al principio.»

—¿Quieres que te lea? —le preguntó Betsy.

Lyddie asintió agradecida, cerró los ojos y se puso de espaldas a la luz de la vela.

Betsy no explicó nada de la novela que estaba leyendo; sencillamente comenzó a leer en voz alta por donde lo había dejado de hacer para sí misma. Aunque Lyddie aún tenía la cabeza abotargada por la pelusa y vapuleada por el ruido, luchaba por comprender el sentido de la historia, que trataba de un niño que estaba en una especie de asilo para pobres y hambrientos. Lyddie sabía de niños hambrientos. Rachel, Agnes, Charlie, todos ellos pasaron hambre aquel invierno del oso. El muchachito hambriento de la historia había levantado la escudilla y le dijo al encargado del asilo:

—Por favor, señor. Quiero un poco más.

Y por decirlo —Lyddie le veía la cara con la boquita de piñón abierta de par en par por el asombro—, el encargado había gritado y zarandeado al chiquillo. A los ojos de Lyddie, Oliver Twist, aunque algo mayor, era exactamente igual que Charlie. El cruel encargado le había echado al chico una bronca terrible delante de algo así como un apoderado. Y ¿cuál era el crimen?: el crimen monstruoso era querer comer más.

—Colgarán a este chico —profetizó el apoderado—. Sé que colgarán a este chico.

Lyddie luchaba contra el sueño devorando cada palabra. La abundante comida de la casa no le había despertado el apetito, pero ahora sentía un hambre como nunca. Tenía que saber qué le sucedería al pequeño Oliver. ¿Realmente le colgarían sólo porque quería más gachas?

Abrió los ojos y se volvió para mirar a Betsy, que estaba absorta en la lectura. Ésta se apercibió de la mirada y levantó la vista del libro:

—Es una historia maravillosa, ¿verdad? Vi al autor

una vez, el señor Charles Dickens. Visitó nuestra fábrica. Veamos, ya estaba en el taller de hilado, así que debió ser en...

Pero a Lyddie no le importaban los autores o las fechas.

—Por favor, no dejes de leer —farfulló.

—No temas, pequeña Lyddie. No habrá más interrupciones —prometió Betsy, y siguió leyendo, aunque la voz enronquecía por el cansancio, hasta que la campana tocó el aviso de silencio. Puso una cinta de pelo señalando la página.

—Hasta mañana por la noche —musitó, al tiempo que se oía el estruendo de las pisadas de un ejército de chicas subiendo por la escalera.

11

Una elección admirable

AL día siguiente en la fábrica el ruido fue igual de discordante y los pies se le hincharon hasta que las viejas botas de Triphena le ajustaron bien, pero de vez en cuando descubría que estaba canturreando.

«¿Por qué estoy contenta de repente? Algo maravilloso me va a pasar», y entonces se acordó. Aquella noche, después de cenar, Betsy le leería de nuevo. Desde luego temía por Oliver, que en su imaginación se confundía con Charlie, pero sentía una deliciosa anticipación, como si se le derritiera un caramelo en la boca. Necesitaba saber qué le sucedería, cómo se desarrollaba la historia. Diana observó el cambio.

—Estás haciéndote con el trabajo más de prisa de lo que pensaba —dijo, pero Lyddie no le contó el motivo.

Tampoco sabía exactamente cómo explicárselo a nadie; no es que se fuera acostumbrando a la fábrica, sino que había encontrado el modo de escapar de sus garras. Lyddie comprendió que las hojas con poesías o los fragmentos de las Escrituras pegadas en los marcos de las ventanas y los geranios en el alféizar eran la vía de escape de otras chicas. El suyo sería una historia.

Los días se fundían con las semanas y Lyddie intentaba no pensar en lo amable que era Betsy al continuar leyéndole. Desde luego había noches que no podía hacerlo: cuando iba de compras o hacía la colada. Los sábados por la tarde les dejaban salir dos horas antes y Amelia acorralaba a Lyddie y a Prudence para que dieran largos paseos por la orilla del río antes de que oscureciera. Betsy, por supuesto, hacía lo que le venía en gana sin tener en cuenta a Amelia. Los domingos, Amelia arrastraba a la reacia Lyddie a la iglesia. Al principio, Lyddie temía que Betsy siguiera leyendo sin ella, pero la joven esperaba hasta el domingo por la tarde, cuando Amelia y Prudence estaban en el comedor escribiendo a casa sus cartas semanales, y retomaba la historia en el punto en que la dejara la noche del viernes anterior.

Transcurrieron varias semanas antes de que Lyddie se diera cuenta que la novela provenía de la biblioteca de préstamos y que a Betsy le costaba cinco centavos a la semana. A su aire, Betsy hubiera leído el libro mucho más deprisa, Lyddie estaba segura de ello. Por mucho que Lyddie detestara gastar el dinero, el primer día que cobró insistió en darle a Betsy diez centavos para ayudarle a pagar el préstamo de *Oliver Twist*. Betsy se rió, pero lo tomó. Ella también estaba ahorrando —le confesó en voz baja a Lyddie pidiéndole que no se lo dijera a nadie— para estudiar. Había una universidad en el oeste, en Ohio, que aceptaba estudiantes femeninas; una verdadera universidad, no un colegio de señoritas.

—Pero no se lo digas a Amelia —dijo, y la voz retomó su habitual tono irónico—, diría que es impropio de una dama querer ir a Oberlin.

A Lyddie le extrañaba que a Betsy le importase lo que Amelia pensaba. Ella, que nunca había ambicionado que la tomaran por una dama, se vio un día preguntándose: «¿Qué pensará Amelia?» y, en consecuencia, censurando su propia conducta de vez en cuando.

Acabaron el libro demasiado pronto para Lyddie; era como si hubiera volado. Había tanto que precisaba escuchar otra vez, especialmente del principio, cuando Lyddie estaba demasiado cansada y, aunque lo intentara con toda su alma, no era capaz de entender bien. En realidad, necesitaba escuchar de nuevo el libro completo, incluso las partes tremendas: el asesinato de la pobre Nancy y la muerte de Sikes.

Deseaba tener el valor de pedirle a Betsy que le leyera más, pero no pudo. Betsy le había dedicado horas y horas de tiempo y de voz. Además, como julio se les echaba encima, las tres compañeras de habitación hacían planes para irse a casa. Aquella palabra era un mazazo para Lyddie: Casa. Si ella pudiera ir, pero había firmado con la corporación por un año completo de trabajo. Si se fuera, aunque fuese sólo para echar un vistazo a la cabaña y estar con Charlie poco más de una hora, perdería su puesto.

—Y si se marcha sin un despido honorable jamás volverá a trabajar en la Concord Corporation —le había dicho el encargado—, ni tampoco la contratará ninguna otra fábrica de Lowell.

¡Las listas negras! Sólo de pensarlo, un escalofrío le recorría la espalda.

Así que se limitó a ver cómo sus compañeras hacían las maletas escuchándolas comentar a quién verían y qué harían, e intentando que no le importara. Amelia iba a New Hampshire, donde su padre, cléri-

118

go, era párroco de una iglesia en el campo. Su madre estaría encantada de que la ayudara en la rectoría y se ocupara de los hijos de los granjeros en la escuela dominical de la parroquia. Prudence estaba vinculada a la granja familiar cerca de Rutland, donde Amelia sospechaba que un pretendiente de una granja vecina estaba dispuesto a alejarla de la fábrica para siempre. Los padres de Betsy habían muerto, pero tenía un tío en Maine que se alegraba siempre de que fuera a ayudarle en la cocina. Se acercaba la época de la siega y tendrían muchas bocas que alimentar. Según dijo Betsy, también cabía la posibilidad de ver a su hermano, aunque seguramente estaría muy ocupado con las invitaciones de sus compañeros de universidad y no tendrá tiempo de ver a su hermana; una hermana solterona y chica de fábrica que era un incordio.

«Después de que se vayan, ganaré y ahorraré», pensaba Lyddie para consolarse. «Ganaré más incluso. Si el taller está falto de trabajadores, el señor Marsden puede asignarme otro telar y así sacaré más piezas de tela cada semana.» Ahora ya era hábil. Unas semanas antes había comenzado a llevar su propio telar sin la ayuda de Diana.

No se imaginó que Diana también se fuera de vacaciones, pero cuando la dijo que se iba sintió un pequeño estremecimiento. Con toda seguridad, el señor Marsden le asignaría dos o quizá un tercer telar. No quería que Diana pensara que se alegraba de su ausencia, pero no era ducha ocultando sus sentimientos.

—Te echaré de menos —le dijo a Diana, que se rió de ella.

—¡Oh, te alegrarás muchísimo de que me vaya! —dijo—. Atenderás tres telares y eso engordará tu salario estas semanas —añadió. Lyddie se puso colorada—. No te sientas mal. Disfruta del dinero. Comprobarás que te has ganado hasta el último centavo. Aquello es un infierno en julio.

—Pero ¿dónde irás? —le preguntó Lyddie intentando desviar la conversación de ella. Se arrepintió en seguida, pues se había acordado demasiado tarde que Diana no tenía familia esperándola.

—Está bien —dijo Diana en respuesta a la mirada compasiva de Lyddie—. Me quedé huérfana muy pronto. Estoy acostumbrada. Supongo que esta fábrica es para mí lo más parecido a un hogar. Entré aquí de cardadora cuando tenía diez años, así que llevo quince, pero en este tiempo he tenido muy pocos meses de julio libres.

Lyddie deseaba preguntarle que si no tenía casa dónde iría, pero no era asunto suyo y Diana no le informaba, excepto para decir, cuando el ruido de las máquinas le aseguraba que nadie podía oírla:

—El Día de la Independencia habrá un mitin al aire libre en Woburn —ante la mirada de extrañeza de Lyddie, continuó—: Del movimiento, del movimiento pro diez horas. La señorita Bagley hablará y también algunos hombres —como Lyddie no decía nada, continuó—: Habrá una comida compestre, una auténtica celebración del Cuatro de Julio. ¿Qué te parece? Te prometo que nadie te hará firmar en ningún sitio.

Lyddie apretó los labios y movió la cabeza.

—No, creo que estaré ocupada —dijo.

En julio hacía tanto calor como Diana había pronosticado con tan poca elegancia. Muy a su pesar, Lyddie se gastó un dólar en un vestido de verano ligero, ya que el de algodón de primavera resultaba inso-

portable. El otro gasto que hizo fue llevarse en préstamo de la biblioteca el *Oliver Twist*. Esta vez lo leería
sola. No se le había ocurrido que estaba siendo autodi-
dacta mientras pronunciaba laboriosamente las palabras que, en cambio, fluían de la boca de *Betsy* como
la lluvia. Estaba tan ansiosa de oír la historia de nuevo
que, exhausta como estaba después de trece horas de
trabajo en el taller de tejeduría, se tumbaba sudorosa
en la cama para articular en voz baja los sonidos de la
narración del señor Dickens.

Se alegraba de estar sola en la habitación. No había nadie que se riese de sus esfuerzos o intentara ayudarla. No quería ayuda. Tampoco quería compartir la
lectura con otras personas. Estaba decidida a apren-
derse el libro tan bien como para leérselo a Charlie
algún día. «¡Se llevaría una sorpresa! ¿Su Lyddie una
auténtica sabia? Estaría tremendamente orgulloso.»

Durante el día, en los telares, le venían a la memoria los fragmentos de la historia que había descifrado la
noche anterior. Entonces se le ocurrió que podía copiar
las páginas y pegarlas para practicar la lectura en cuanto tuviera un rato, pero no hay muchas pausas cuando
se atienden tres máquinas, así que pegó la página copiada en la tabla del antepecho de uno de los telares,
donde podía echar vistazos mientras trabajaba.

Estaban a mediados de julio cuando Lyddie tomó
una decisión trascendental. Una hermosa tarde, nada
más terminar de cenar, se puso el vestido de calicó,
que era más bonito que el ligero de verano, las botas
buenas, el casquete y salió a la calle. Estaba temblando
cuando llegó a la puerta de la tienda, pero la abrió y
entró. Al hacerlo sonó una campanita, y un caballero
que estaba sentado en un taburete alto detrás de un

mostrador inclinado, la miró por encima de las gafas.

—¿En qué puedo servirla, señorita? —la preguntó cortésmente.

Lyddie intentaba controlar la voz temblorosa, pero le fue imposible.

—Ven... vengo a comprar el libro.

El caballero descendió del taburete y esperó a que continuara, pero Lyddie ya había dicho su ensayado parlamento. No tenía más palabras preparadas. Por fin, él se inclinó hacia ella y dijo en tono amabilísimo:

—¿Qué clase de libro tiene usted en mente, querida?

¡Qué estúpida debía parecerle! La tienda consistía en estanterías y estanterías llenas de libros: cientos, quizá de miles de libros.

—Hum, *Oliver Twist,* si me hace el favor, señor —consiguió decir tartamudeando.

—Ah. El señor Dickens. Una elección admirable —dijo el hombre.

Le mostró varias ediciones; algunas estaban muy mal impresas, en papel barato con las tapas de papel, pero ella sólo quería una que tenía una maravillosa cubierta de cuero con letra de oro en el lomo. Sabía que le costaría hasta el último centavo, puede que incluso más de lo que llevaba. Miraba con temor al atento dependiente.

—Son dos dólares. ¿Se lo envuelvo? —dijo.

Sacó dos dólares de plata del bolso y se los dio.

—Sí —dijo suspirando aliviada—. Sí, gracias, señor —salió corriendo estrechando su tesoro, y hubiera corrido todo el camino hasta la pensión, pero se dio cuenta que la gente se volvía para mirarla.

Los domingos del mes de julio eran demasiado preciosos para pensar en ir a la iglesia. No fue siquiera a la merienda de la escuela dominical de los sindicatos el día cuatro, aunque el fragor de los fuegos artificiales la hizo correr de la habitación a la cocina. No había nadie en la casa para explicarle el temible jaleo, pero se quedó satisfecha al ver que la cocina de hierro no había explotado y regresó al sofocante dormitorio para continuar leyendo y copiando. La señora Bedlow recordó en el desayuno del tercer domingo que muchas de sus pupilas no cumplían con sus obligaciones religiosas y que la corporación se sentiría muy ofendida si la asistencia de las habitantes del número cinco no mejoraba pronto.

Lyddie introdujo una página copiada del libro en el bolsillo y se las arregló para leerla durante el largo sermón metodista. De esta forma sólo perdió un ratito de estudio en las dos horas que duró el servicio. Durante la lectura de los Evangelios, un pasaje llamó su atención: «¿Por qué tú, un judío, me pides agua a mí, que soy una samaritana», le preguntaba la mujer a Jesús en el Evangelio. «¿Jesús un judío? ¿Como el malvado Fagin?» Nadie le había dicho hasta ahora que Jesús fuese judío. Como Fagin y, sin embargo, completamente distinto.

Lyddie pensaba en ello mientras caminaba hacia casa después del servicio.

—Por favor, ¿quiere usted mirar por dónde va? —había chocado con una mujer corpulenta vestida con sus galas dominicales. Lyddie murmuró una disculpa, pero la mujer estaba muy enfadada y ajustándose el casquete soltó una retahíla ininteligible que terminaba con «chicas de fábrica».

La acera estaba demasiado llena para perderse en ensoñaciones. Lyddie guardó las preguntas en la memoria para pensar en ellas en otro momento y comenzó a mirar por dónde iba.

En aquel momento vio a Diana o creyó verla. En cualquier caso, era una pareja: un guapo caballero con barba y una dama bien vestida de su brazo que caminaban hacia ella por la acera de enfrente de la calle Merrimack. La mujer era Diana, Lyddie estaba segura. Sin pensárselo dos veces, Lyddie la llamó en voz alta.

La mujer giró la cabeza al otro lado. Quizá se sentía molesta de que una chica la llamara a gritos en una vía pública. Pasaron varios coches y un carro y, antes de que los viera de nuevo, el hombre y la mujer habían desaparecido entre la muchedumbre de paseantes dominicales. Debió equivocarse. Diana la hubiera reconocido y cruzado la calle para hablar con ella.

12

No seré una esclava

ERA muy buena en su trabajo: rápida, ágil de manos, diligente e incluso, en el casi insoportable calor del taller de tejeduría, aparentemente incansable. El encargado se había apercibido de ello observándola desde su alto taburete de la esquina. Lyddie supo que la miraba y sabía, por la sonrisa de su boquita redonda, que estaba contento con ella. Una tarde, un par de dignatarios extranjeros recorrieron la fábrica, y el señor Marsden les llevó a que vieran trabajar a Lyddie. Ella intentaba sonreír educadamente, pero se sentía como un gorrino en la subasta del pueblo.

No se quedaron mucho tiempo. Uno de ellos se pasó todo el rato enjugándose la cara y el cuello y mascullando palabras extranjeras que, Lyddie estaba convencida, tenían más que ver con la temperatura que con las maravillas de la Concord Corporation. El otro se quitaba el sudor que le caía hasta los ojos y daba la impresión de que se iba a desmayar de un momento a otro.

—Una de nuestras mejores chicas —dijo el señor Marsden radiante—. Una de las mejorcitas.

125

La paga reflejaba su pericia. Le quedaban 2.50 dólares limpios a la semana después de pagar 1.75 dólares de pensión. Mientras las otras chicas se quejaban de la caída del precio de sus piezas, por lo que no merecía la pena trabajar como negras con el calor del verano, Lyddie guardaba silencio. Cuando Diana se fue, no le quedaron amigas en el taller. Trabajaba demasiado duro para perder un tiempo precioso bebiendo un trago de agua del cubo o corriendo hacia las escaleras para coger un poco de aire. Además, había pegado su *Oliver* y cada momento libre dirigía los ojos al texto. Leía y releía la página durante el día hasta saberse las palabras casi de memoria.

De este modo descubrió que incluso las palabras que le parecieron imposibles de descifrar en la primera lectura, comenzaban a adquirir sentido al descubrir el lugar que ocupaban en la historia. Los nombres, aunque extraños, eran lo más fácil porque los recordaba bien de las lecturas de Betsy. Le gustaban aquellos nombres: el señor Bumble, un villano torpe como un oso. Uno no puede dejar de reírse de sus intentos de ser alguien en un mundo que, obviamente, le despreciaba.

Bill Sikes —un nombre de espadín—, un auténtico villano sin nada que suavizara el diablo que llevaba dentro, ni siquiera el amor de Nancy. Lyddie no se preguntaba cómo una mujer puede permanecer al lado de un hombre como Sikes. Incluso en su corta vida había conocido mujeres que se aferraban a maridos temibles.

Entendía un poco a Fagin. Si el mundo te desprecia tanto, tienes derecho a vengarte. Los muchachos ladrones, ¿tenían otra elección, sin hogar ni familia?

Sólo les quedaban los asilos, que fingiendo aplicar la caridad cristiana distribuían desesperación.

Se estremeció al ver lo cerca que estuvo su familia de quedar a merced de la ciudad aquel invierno que su madre huyera con las niñas. ¿Se fue para salvarles de la granja de pobres? Lyddie no se lo había planteado así hasta entonces. «Quizá su madre comprendiera que ella y Charlie eran lo suficientemente fuertes como para arreglárselas solos, pero con la carga añadida de su madre y las niñas... ¿Su madre creyó de verdad que el oso era el demonio en la tierra? ¿Pensaba que el fin estaba cerca?» Lyddie se preguntaba si alguna vez tendría respuesta a estas preguntas, al igual que tampoco conocería nunca el paradero de su padre.

Llegó una carta al cinco con la letra de su madre. Lyddie sintió una punzada en el pecho mientras se apresuraba a coger unas monedas para reembolsarle el franqueo a la señora Bedlow. Aún no le había enviado dinero a su madre. Tenía la intención de hacerlo e incluso apartó unos pocos dólares con este propósito, pero su cabeza estuvo inmersa en otras cuestiones —el trabajo, la pensión, el mundo fantástico de un libro— y había descuidado a aquellos pobres que eran su propia carne.

Deseaba no tener que abrir la carta. Quería que nunca hubiera llegado pero allí estaba y tenía que afrontarlo.

Querida ija:
Estube mui sorprendida al recivo de tu carta y saver as ido a Lowell. No se decir. Si puedes manda dinero pa ayudar a Judah y Clarissa.

Tienen mucha carga. La pequeña Agnes se fue con Dios. Rachel esta mal. Miny a muerto, pero Dios sea vendito.

Tu madre que te quiere,
Mattie M. Worthen.

Intentaba recordar la carita de Agnes. Se esforzaba, cerrando fuertemente los ojos, para conseguir así retratar a su hermana, ahora desaparecida para siempre. Era una niña. No tendría más de cuatro años aquel invierno del oso, pero ya habían pasado casi dos años. Ella habría cambiado. «Quizá ni siquiera me recordara», pensaba Lyddie. «¿Se habría olvidado de mí y de Charlie? ¿De mí, Lyddie, que la lavaba y alimentaba, y el querido Charlie que la hacía reír?» Quiso llorar, pero las lágrimas no acudieron a sus ojos. Sólo tenía un nudo en el lugar que debiera ocupar el corazón.

Había de trabajar más duro. Tenía que ganar el dinero necesario para pagar todo lo que debían y así reunir a su familia en la granja, mientras tuviera familia que reunir. La idea de quedarse huérfana y tener que vivir desposeída de tierras y familia como Diana...

Así llegó el momento en que la Concord Corporation aumentó la velocidad de las máquinas otra vez, y Lyddie fue casi la única en no quejarse. Sólo tenía que atender dos telares en lugar de los cuatro del verano. Necesitaba el dinero. Tenía que conseguirlo. Algunas de las chicas, tan pronto como volvieron de vacaciones regresaron a casa otra vez. No podían aguantar el ritmo. A Lyddie le asignaron un telar, luego otro, y a pesar del incremento de velocidad atendía los cuatro y le resultaba satisfactorio desdeñar a las que no podían con el trabajo.

Prudence fue la primera de las compañeras de habitación en irse para siempre. El pretendiente en Rutland le urgía a que abandonara la fábrica, pero existía una razón más poderosa para su regreso. Había empezado a toser; era una tos seca y penosa, que duró toda la noche y mantuvo despiertas a Amelia y a Betsy, aunque no a Lyddie, que dormía como un lirón. De hecho, se aislaba de las demás. Betsy no le había ofrecido a Lyddie leerle otra novela desde el verano. Ella y varias operarias más habían formado grupos de estudio. Uno de latín y otro de botánica. Los martes y los jueves requisaban la mitad de la sala del número cinco y contrataron a un profesor. Cuando Betsy no estaba abajo con su grupo, se encerraba en la habitación para preparar la siguiente sesión.

—¿Quieres que te lea el texto? —le preguntó a Lyddie una vez, sacando la nariz de entre las páginas del libro de botánica.

Lyddie sonrió y negó con la cabeza. Sabía mucho de plantas y flores, al menos tanto como ansiaba conocer, pero no sabía lo suficiente sobre Oliver Twist.

Tras la marcha de Prudence y con la sala congestionada, Amelia apenas salía de la habitación. Insistía en hablar, aunque Betsy, cuando estaba allí, la ignoraba y Lyddie lo intentaba con todas sus fuerzas.

—Vosotras dos deberíais hacer ejercicio en lugar de encerraros a leer en esta habitación mal ventilada —solía decir Amelia.

No había respuesta.

—O al menos, salvando vuestras almas.

Tampoco hubo respuesta, aunque Lyddie y Betsy sabían que Amelia les recordaba que era domingo y ninguna de las dos había asistido a los servicios matinales.

—¿Qué estás leyendo, Lyddie?

«A lo mejor si finjo que no la oigo me dejará en paz.»

—¡Lyddie! —esta vez habló con tanta aspereza, que Lyddie alzó la vista sobresaltada—. Saca la nariz de ese libro y ven a dar un paseo conmigo. No tendremos ya muchas tardes de domingo soleadas como ésta. Pronto hará frío.

—Estoy ocupada —masculló Lyddie. Amelia se acercó.

—Has estado leyendo ese libro durante meses —estiró el brazo y le quitó a Lyddie el *Oliver Twist* de las manos.

—¡Ese libro es mío, eh!

—Vamos, Lyddie. Sólo un paseíto a la orilla del río antes de cenar. Te sentará bien.

—¿Quieres sacarla de aquí antes de que la amordace con los lazos de mi casquete y la ate a la pata de la cama? —dijo Betsy con firmeza, sin levantar la vista de su propio libro.

—Puedes pasear sola. Tengo que leer mi libro —Lyddie estiró el brazo para recuperar el libro, pero Amelia lo sujetaba fuera de su alcance.

—Oh, vamos. Ya has leído ese libro, te he visto, y además es una novela estúpida que no se debe leer, y hacerlo en domingo es pecado —dijo.

Lyddie notaba un nudo en la garganta. «¿Novela estúpida? Si trataba de la vida y de la muerte.»

—Si no l'has leído, ¿cómo lo sabes? —dijo, olvidándose de la gramática por el enfado.

Amelia enrojeció y parpadeó varias veces. Ya no bromeaba.

—Conozco las novelas. Son el instrumento del diablo para arrastrar a la perdición a las impresionables mentes juveniles —dijo levantando la voz, que le temblaba.

Lyddie miraba a Amelia boquiabierta. La que habló fue Betsy:

—¡Por amor de Dios, Amelia! ¿Dónde has oído unas necedades tan pomposas?

La cara de Amelia enrojeció aún más.

—Sois unas descreídas y os burláis de todo. Me pregunto cómo puedo continuar viviendo en la misma habitación que vosostras.

—Bah, ¡no digas eso! No te hacemos daño. ¿No podemos vivir y dejar vivir? —el tono de Betsy era más amable que sus palabras.

Amelia empezó a llorar. Sus rasgos de mármol cincelado se cuartearon al invadirla el enfado, la rabia de una criatura indefensa. Lyddie la miraba, pero la dureza que sentía en su interior se quebraba igual que las grietas mellan el granito.

Sacó un pañuelo limpio de su caja y se lo tendió a la chica mayor.

—Toma —le dijo.

Amelia echó un vistazo rápido al pañuelo. «Para asegurarse que es uno limpio», pensó Lyddie con ironía, pero murmuró gracias y se sonó la nariz.

—No sé qué se ha apoderado de mí —dijo recuperando el tono anterior.

—Lo que pasa es que estamos trabajando como esclavas. Estoy casi decidida a firmar la maldita petición —dijo Betsy.

—¡Oh, Betsy, no lo hagas! —dijo Amelia retirando el pañuelo de la nariz y con los ojos muy abiertos.

—Simplemente ¿no lo hagas? Cuando empecé en

131

el taller de hilado podía trabajar trece horas y lo soportaba. Atendía ciento treinta husos. Ahora atiendo el doble y a una velocidad que le haría jurar al diablo. Estoy agotada, Amelia. Todas estamos agotadas.

—Pero nos pagarán menos —«¿Betsy no lo entiende?»—. Si trabajamos sólo diez horas cobraremos mucho menos.

—El tiempo es más valioso que el dinero, pequeña Lyddie. Con que tuviera sólo dos horas más libres cada tarde, ¡qué no haría!

—Si firmas la petición te echarán, Betsy. Sé que lo harán —Amelia doblaba el pañuelo y se lo tendía a Lyddie con una inclinación de cabeza.

—¿Y tú me echarás de menos, Amelia? Pensaba que te sentirías aliviada librándote de mí. Creía haber sido la china de tu zapato estos cuatro años.

—Pienso en ti. ¿Qué harás sin trabajo? Te pondrán en las listas negras. Ninguna corporación te contratará.

—Oh, puede que me vaya al oeste. Tengo casi el dinero —le sonrió furtivamente a Lyddie—. Estoy pensando irme a Ohio.

—¿Ohio?

—¡Hurra! —gritó Betsy—. ¡Eso es! Esperaré hasta reunir el dinero que necesito, firmaré la petición y abandonaré esta ciudad de husos con una traca de auténticos fuegos artificiales.

—¡No! —Lyddie estaba asombrada de haber hablado tan abruptamente. Ambas jóvenes la miraron—. Quiero decir que, por favor, no firmes. Yo no puedo hacerlo. Necesito el dinero. Tengo que pagar las deudas antes...

—Lyddie, ¿no te lo ha explicado ya tu amiga

Diana? Trabajamos más horas, atendemos más máquinas a las que, a su vez, han aumentado la velocidad hasta alcanzar el paso del diablo, para que la corporación gane montones de dinero. Nuestros salarios reales han bajado con mayor frecuencia de lo que han subido. ¡Dios misericordioso! ¿Por qué perder el tiempo en una petición por escrito? ¿Por qué no una buena y anticuada huelga?

Betsy puso el libro de botánica boca abajo para no perder la página, se abrazó las rodillas y comenzó a cantar con aguda voz infantil:

¡Oh! ¿No es una pena que a una chica tan linda
*   como yo*
La envíen a la fábrica a consumirse y morir?
Oh, no puedo ser esclava,
no seré una esclava.
Amo tanto la libertad,
que no puedo ser esclava.

—¡No soy una esclava! —dijo Lyddie furiosa—. No soy una esclava.

—Claro que no lo eres —Amelia había recobrado la confianza y con ella sus modales de maestra.

—En la posada trabajaba a veces quince o dieciséis horas al día y le pagaban a mi madre cincuenta centavos a la semana cuando se acordaban; pero aquí...

—Chitón, muchacha. Nadie te está llamando esclava. Sólo cantaba una vieja canción.

—¿Cómo es que sabes esa canción radical? —le preguntó Amelia.

—Fui cardadora allá por 1836. A los diez años aprendes todas las canciones.

133

—¿Y te uniste a la huelga? —ahora Amelia parecía la maestra que ha pillado en falta a un niño.

Los ojos de Betsy resplandecían.

—¿Con diez años? Capitaneé a mi planta y corrimos todo el rato. ¡Fue el día más emocionante de mi vida!

—No es bueno rebelarse contra la autoridad.

—Pues a mí me sienta bien. Estoy harta de ser una esclava que gimotea por un salario.

Betsy recogió el libro de nuevo para dar por terminada la discusión.

—Quiero decir que es..., que no es propio de damas y... y va contra las Escrituras —a Amelia le temblaba la voz según hablaba.

—¿Luchar por la justicia va en contra de las Escrituras? Oh, vamos, Amelia. Creo que te han dado el libro equivocado en esa iglesia tuya.

Lyddie llevaba su mirada de una cara enfadada a la otra. Le daba igual ser una dama o ser piadosa. Estaba ganando bastante más dinero del que tuvo jamás en casa, allá en Vermont, o del que seguramente tendría jamás. ¿Por qué la gente no vivía y dejaba vivir?

El campanazo que anunciaba el silencio zanjó la disputa, pero no calmó la ansiedad de Lyddie.

13

Aumento de velocidad

L YDDIE no podía quitarse de la cabeza aquella tonta canción. Le restallaba y silbaba acompañando a la maquinaria.

Oh, no puedo ser esclava,
no seré una esclava...

Ella no era una esclava. Era una mujer libre del estado de Vermont que se abría paso en la vida. Pensaran lo que pensaran Diana e incluso Betsy, ella, Lyddie, era mucho menos esclava que la inmensa mayoría de las chicas que conocía. No se lo estropearían con peticiones y huelgas. No deberían meterse con el sistema y arruinarlo por completo.

Le gustaba Diana, claro que sí, y sin embargo empezó a evitar a su amiga como si el radicalismo se contagiara igual que la difteria. Sabía que el señor Marsden comenzaba a seguirles la pista a las chicas que se paraban en los telares de Diana. Podía verle cómo las observaba y tomaba nota mentalmente.

Cuando Diana se le acercaba, Lyddie se ponía tensa, y al invitarla a uno de los mítines de los martes por

135

la noche, Lyddie dijo «¡No!» con tanta brusquedad que ella misma se asustó. Diana no se lo pidió más. «No es por ti», quería decirle Lyddie. «Es por mí. Quiero irme a casa. Por favor, entiéndelo Diana, no es por ti.»

Los partidarios de las diez horas sacaban un periódico semanal, *La Voz de la Industria*. Lyddie intentaba que no se le fuera la vista hacia los ejemplares del semanario, que estaban desparramados, con aparente descuido, en la mesa de la sala. Una noche, después de cenar, Amelia y ella subieron al dormitorio y encontraron a Betsy riéndose entre dientes mientras leía el semanario.

—¡Aquí! ¡Lee esto! ¡Esas mujeres tan valientes andan ahora detrás del Cuerpo legislativo! —dijo tendiéndole el ejemplar a Lyddie.

Lyddie retrocedió como si alguien le ofreciera el extremo caliente de un atizador.

—Lyddie, no tengas miedo de leer algo con lo que no estés de acuerdo —dijo Betsy.

—Betsy, deja en paz a Lyddie. Sólo la metes en líos.

—No te preocupes, Amelia. A nuestra Lyddie le gusta el dinero demasiado como para meterse en líos.

Lyddie se puso colorada de rabia. Estaba preocupada por el dinero, pero le gustaría que Betsy no lo planteara de aquel modo. Quería explicarles, justificarse. Si les hablara del oso, de lo cerca que estuvo su familia de ir a parar a una granja de pobres. Si les dijera lo brillante que era Charlie y cómo ella estaba segura que sería tan buen estudiante en la universidad como el engreído del hermano de Betsy. Sólo que Charlie no estaba en Harvard; limpiaba el grano en un molino. Y la pequeña Agnes se había reunido con Dios. Sintió un escalofrío y se contuvo. Cuando expresara aquellas palabras podrían sonar a las escusas de una cobarde. Le daba igual que lo entendieran o no. Por mucho que admirara a Diana, no se dejaría embaucar por ella ni por Betsy para unirse a ninguna protesta. Un año o dos más y se iría a casa, por fin libre. «Tengo que escribirle a mamá», pensó. He de contarle lo duro que trabajo para liquidar la deuda.

Querida madre:
Tu carta contándome la muerte de mi hermana Agnes me puso muy triste. Estoy preocupada por que no te ocupas lo suficiente de tu salú. Te mando un dólar. Por favor, compra buena comida para ti y para Rachel y, si es posible, un chal que caliente para el invierno. Te mandaré más dinero el día de cobro. Estoy intentando aorrar para la deuda, pero tienes que decirme esatamente cuanto es. ¿Se lo mando al señor Wescott o a algún banco? Estoy bien. Trabajo duro.

Tu hija que te quiere,
Lydia Worthen.

Había comprobado la ortografía en *Oliver;* la gramática también. Sintió un cosquilleo de orgullo. Sabía que su escritura mejoraba. Su madre no lo notaría, pero Charlie sí. Tomó una segunda hoja para comenzar a escribirle a él. Avergonzada, de pronto dudaba. Había pasado tanto tiempo. No sabía qué decirle. «He de ir a verle tan pronto como se cumpla el año», pensó. «Perderé el contacto con él y me olvidará.» Movió la cabeza para desechar la idea. Charlie no la olvidaría, como tampoco la nieve se olvida de caer en la montaña de Camel Hump. No obstante, debería escribirle. Él podría pensar que ella le había olvidado.

Querido Charles:

(Apretaba tanto la pluma que los dedos se le agarrotaban.)

He sabido por madre que la pequeña Agnes ha muerto. ¿A ti también te ha escrito con esta triste noticia? Tenemos que llevar a madre y a Rachel pronto a casa. Estoy ahorrando casi todo mi salario para la deuda. Trabajo duro y me pagan bien. Podremos ir pronto a casa. Aún puedo brincar (ja, ja). Confío estés bien.

Tu hermana que te quiere como siempre,
Lydia Worthen.

Un gran borrón de tinta cayó de la pluma justo encima de su nombre. Le pasó el secante, pero la tinta se esparció por la carta. Intentaba decirse a sí misma que no importaba, que a Charlie no le importaría, pero ella estaba demasiado preocupada. Había escrito la carta para enseñarle cómo iba mejorando, que estudiaba y aprendía además de trabajar, pero el borrón lo estropeó todo. Rompió la hoja y fue incapaz de comenzar de nuevo.

No importaba que las máquinas aumentaran la velocidad, porque Lyddie parecía ser capaz de mantener el ritmo. Nunca malgastaba energía preocupándose o quejándose. Era casi como si hubieran intercambiado sus naturalezas: ella se había convertido en una máquina perfectamente sintonizada con el rugir y el estrépi-

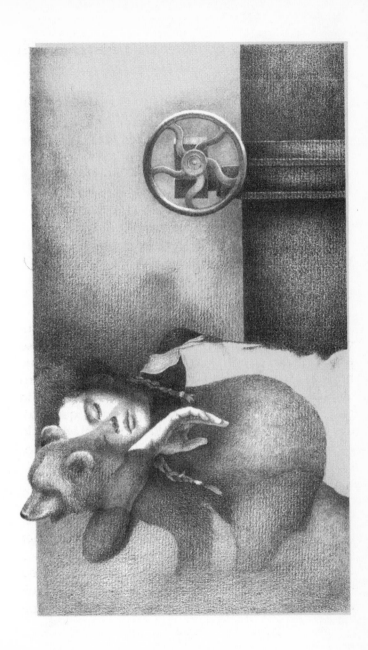

to de las bestias a su cargo. «Piensa que son osos», se decía a sí misma. «Osos grandes y torpes. Puedes enfrentarte a ellos.»

Desde su alto taburete, en el rincón de atrás de la inmensa sala, Lyddie casi podía sentir los ojos del encargado puestos en ella. Desde luego, cada vez que se levantaba del taburete para recorrer la nave, siempre se paraba en sus telares. A menudo la sobresaltaba el toque de su gordinflona y blanca mano en el brazo. Cuando se volvía, él formaba en su boquita algo que Lyddie tomaba por elogioso, ya que los ojos se le arrugaban como si la piel que los rodeaba se hubiera resquebrajado al intentar sonreír.

Lyddie asentía en reconocimiento y se volvía a sus máquinas que, al menos, no le alargaban la mano ni le daban palmaditas cuando no las miraba.

Era un hombrecillo extraño. Lyddie intentó una vez imaginárselo cuando se vestía por las mañanas. Su impecable esposa anudándole el impecable lazo, cepillándole el guardapolvos negro, que para las seis de la mañana estaría blanco de la pelusa que flotaba en la gigantesca sala. ¿Le cepillaría también la calva? ¿Con qué? Desde luego, no con betún. ¿Existiría una grasa para la cabeza que al frotarla después de aplicada diese aquel brillo? Veía a la impecable esposa del encargado con una toalla entre las manos frotando con energía la cabeza de su esposo por encima de las orejas y, a continuación, peinarle las escasas hebras de pelo grisáceo, pasándoselas de una oreja a otra. Le resultaba difícil ponerle un rostro a la esposa del encargado. ¿Era una mujercita obediente y dócil o alguien como la señora Cutler, que dominaba a su marido tanto como él a las chicas bajo su mirada alerta? En cualquier caso, no sería una mujer feliz, porque el señor Marsden no parecía ser de la pasta de la que se extrae la satisfacción.

Pero pronto tuvo poco tiempo para pensar y soñar. Llevaba tan bien sus dos y luego tres máquinas, que el señor Marsden le asignó un cuarto telar. Ahora apenas si se daba cuenta de la gente que la rodeaba. En las comidas, el ruido, las quejas y las bromas de las otras chicas eran como el alboroto de un desfile lejano. No se daba cuenta que la comida no era tan abundante como antes. Seguía habiendo más de lo que podía comer. Tampoco notaba que la carne estaba un poco rancia o las patatas mohosas. Tomaba los alimentos que le ponían delante a toda velocidad, sin intentar siquiera engullir lo más posible en el corto espacio de tiempo asignado. Cuando sonaba la campana, sin importarle lo que dejara en el plato, se levantaba de la mesa y volvía con sus osos.

Durante aquel tiempo estaba demasiado cansada por la noche para copiar una página de *Oliver* y pegarla en el telar. Le daba lo mismo. ¿Cuándo había tenido tiempo para estudiarlo? Después de cenar, subía las escaleras dando traspiés y, apenas se lavaba y se ponía el camisón, caía dormida en la cama.

Si bien Amelia hacía esfuerzos para engatusarla y la señora Bedlow lo anunciaba en las comidas, Lyddie ni siquiera intentaba ir a la iglesia. Su cuerpo no hubiera cooperado aunque ella deseara ir. Dormía hasta tarde los domingos por la mañana y se obligaba a levantarse para comer, y si comía algo lo hacía como en los últimos tiempos, automáticamente y sin participar en la conversación. Le era indiferente dormir o no la siesta.

—Parecemos caballos de carreras. Cuanto más duro trabajamos, mayor es el premio que ellos obtienen —decía Betsy.

Amelia murmuraba algo en respuesta, y Lyddie estaba medio dormida para entenderlo.

—Me he decidido a firmar la próxima petición.

—¡No lo hagas!

—¿Que no lo haga? —Betsy se rió—. El niño de oro termina en Harvard esta primavera. Tiene los gastos pagados y yo casi he reunido el dinero que necesito. He estudiado latín, así que en cuanto termine el curso de botánica estaré lista para dejar este manicomio.

Incluso Lyddie, con la mente medio nublada por el sueño, sintió una punzada. No quería que Betsy se fuera.

—Sería estupendo marcharse con la campanada de un despido deshonroso.

—Pero, ¿a dónde vas a ir? Has dicho siempre que no volverías a Maine.

—A Maine, no, Amelia. A Ohio. Me propongo ir a la universidad.

—¿A la universidad?

—¿Te sorprendo, Amelia? ¿Betsy, devoradora de novelas en público y una mujer con grandes ambiciones en secreto?

—A la universidad. Nunca me lo hubiera imaginado...

—Si me despiden me quitaré de en medio y dejaré de decir tonterías para empezar en la universidad de Oberlin una nueva vida.

A estas alturas de la conversación Lyddie estaba escuchando, apoyada en un codo, dividida entre el

142

orgullo por Betsy y el horror de lo que estaba proponiendo.

—Así que, después de todo, nuestra bella durmiente está despierta.

—Lyddie, dile que no sea insensata.

—Odio que te vayas —dijo Lyddie con calma.

—Me habré ido incluso un mes y medio antes de que os deis cuenta —Betsy bufaba.

Ofrecían primas a los encargados —premios a los hombres cuyas chicas producían el mejor género en el período entre paga y paga—, razón por la cual habían acelerado las máquinas y las chicas no se atrevían a tomarse tiempo libre ni siquiera cuando estaban febriles.

—Si no puedes hacer tu trabajo, hay muchas chicas que pueden y quieren. En este taller no tenemos sitio para chicas enfermizas —Lyddie oyó al señor Marsden decírselo a una chica en el descanso del desayuno.

Muchas chicas —aquellas con familias que las podían mantener o novios dispuestos a casarse con ellas— se fueron a casa y llegaron otras nuevas a reemplazarlas. Hablaban de una forma extraña y se vestían de un modo aún más raro. No vivían en las pensiones de la corporación, sino en la zona de la ciudad conocida por «el Acre».

El Acre no entraba en la ruta de los dignatarios extranjeros que venían a contemplar el esplendor de ·Lowell: la ciudad fabril, modelo del Nuevo Mundo. Cerca del canal del Norte, brotando como hongos, se alzaban las chozas achaparradas hechas de tablas toscas y turba, con una minúscula ventana y unos cuantos agujeros para que entrara el aire. Cada choza estaba atiborrada de católicos irlandeses que, según se decía, engendraban más que las ratas. También se rumoreaba que aquellos papistas estaban dispuestos a trabajar por salarios más bajos, y puesto que la corporación no les subvencionaba la manutención y el alojamiento, las chicas irlandesas eran la mano de obra más barata.

Diana ayudaba a las nuevas chicas a instalarse, enseñándoles al igual que había hecho con Lyddie en la primavera. La propia Lyddie estaba demasiado ocupada para ayudar a nadie. No podía rebajar su producción so pena de ver reducido su salario, y antes de que se diera cuenta una de esas malditas papistas ocuparía su puesto.

Ahora le venía a la cabeza, espontáneamente y con frecuencia, la canción:

> *Oh, no puedo ser esclava,*
> *No seré una esclava...*

Diciembre se presentaba tristón, sin la abundancia de nieve por la que Lyddie suspiraba. La nevada se convertía en seguida en barro sucio por las pisadas de tantísima gente, el hollín y las cenizas de múltiples chimeneas. El cuerpo le picaba mucho más de lo habitual en invierno. El baño de agua caliente que se dio la primera noche en la habitación de la señora Bedlow fue el único que tomó en la ciudad, ya que, al igual que la mayoría de las compañías, la Concord Corporation no había estimado necesario instalar casas de baños para sus trabajadores. Las chicas estaban obligadas a lavarse únicamente en los lavabos de las habitaciones, a las que Tim subía un cántaro de agua helada una vez al día.

A pesar de las temperaturas invernales, en la fábrica hacía calor. Lo producía la maquinaria, los cientos de lámparas de aceite de ballena, continuamente encendidas en los días cortos y oscuros del invierno, y el vapor insuflado en la sala para mantener el aire húmedo y evitar así que se rompieran los hilos de urdimbre innecesariamente, con el consiguiente derroche de tiempo y materiales.

Lyddie iba a trabajar cuando la oscuridad era gélida y regresaba también de noche. Nunca veía el sol. La breve interrupción para la comida no servía de mucho. El cielo resultaba opresivo. Siempre estaba plomizo, y el humo de cientos de chimeneas caía amenazadoramente.

En la Lawrence Corporation, a orillas del río, una chica resbaló en la escalera exterior helada cuando corría para ir a comer. Se rompió el cuello en la caída, y el mismo día, un hombre que cargaba piezas de tela en las vagonetas sobre raíles del patio de la fábrica Lawrence, fue atropellado y murió aplastado. En la Concord Corporation no se producían muertes, pero en el taller de hiladuría una máquina enganchó por el pelo a una de las niñas irlandesas y quedó malherida.

Diana hizo una colecta para los gastos del hospital, pero Lyddie no llevaba dinero encima. Además, ¿cómo iba a contribuir para ayudar a una extranjera cuando tenía que pensar en su pobre hermanita? Se prometió a sí misma enviar a su madre algo de dinero el próximo día de cobro. Había abierto en un banco una cuenta que engordaba. Cuidaba de ella como si se tratara de una novilla, esperando impaciente que llegase el momento de ordeñarla. Intentaba que no le doliera retirar dinero para mandárselo a su madre, pero lo cierto es que el saldo crecía cada día de cobro. Hacía dos años que no veía a su madre y no había forma de saber cuáles eran sus verdaderas necesidades. Además, por muy tacaño que fuese Judah o lo loca que estuviera Clarissa, no iban a permitir que su propia hermana y su sobrina pasaran hambre.

En Navidad no hubo vacaciones. Llegó y se fue sin que apenas se dieran cuenta. Amelia recibió un regalo de su madre por Año Nuevo: un par de guantes de lana, que envolvió otra vez en el mismo papel en que habían llegado y escondió en la maleta. Sólo alguien recién llegado de una granja o una de las irlandesas llevaría en Lowell un par de guantes hechos en casa. El hermano de Betsy le envió un volumen de ensayos —para cultivar mi espíritu—. El regalo le hizo gracia, porque sabía que lo había comprado con el dinero que ella le remitía cada mes para pagar sus gastos escolares.

—Bien. En unos meses, nuestro niño de oro se las arreglará solo. ¡Ah, si tuviéramos los sexos cambiados! ¿Os lo imagináis pagándome a mí la universidad?

Lyddie no recibió regalos ni tampoco los esperaba, pero le llegó una nota de Triphena agradeciéndole la devolución del préstamo. No había mucho que contar de casa Cutler. La preguntaba por su salud y se quejaba del ama: era más severa que nunca. Willie al fin se había largado y el chico y la chica nuevos no valían un pito. Lyddie tuvo que sonreír; pobre Triphena.

¿Estaba pensando en Triphena cuando ocurrió o estaba excesivamente cansada? Era a última hora de un viernes, el peor momento de la semana. ¿No tuvo cuidado al colocar la lanzadera en la caja de la derecha o había un nudo en el hilo de trama? Nunca lo sabría.

Recordaba que enhebró la lanzadera y la puso en los tacos, colocó la palanca en la ranura... Antes de darse cuenta, estaba en el suelo y le salía sangre, manchándose el pelo cerca de la sien derecha... La lanzadera, la odiosa lanzadera. Intentó levantarse, tenía que detener el telar, pero Diana llegó al instante, corriendo a lo largo de la fila de máquinas, agarrando con cada mano las palancas de sus propias máquinas y la de la cuarta de Lyddie sin dejar de correr. Se arrodilló al lado de Lyddie.

—Dios mío —dijo depositando con suavidad la cabeza de Lyddie en su regazo. Sacó el pañuelo del bolsillo y se lo apretó con fuerza sobre la sien. Se llenó de sangre de inmediato. Apartó el delantal de debajo de la cabeza de Lyddie y, sacándoselo por los hombros, lo colocó sobre el pañuelo empapado. Las chicas comenzaban a acercarse—. Delia, consígueme agua fresca y ¡limpia! y pañuelos, por favor. Dadme los vuestros —decía a gritos a las chicas que las rodeaban.

La cabeza del señor Marsden sobresalía del círculo de cabezas. Las chicas se hicieron a un lado para dejarle sitio.

—¿Qué pasa aquí? —la voz era firme, pero la cara se le puso grisácea al bajar la vista hacia las dos chicas.

—La hirió la lanzadera —dijo Diana.

—¿Qué? —él gritaba para tapar el ruido.

—Lanzadera, lanzadera, lanzadera —la palabra iba y venía por el círculo como si estuviera en los tacos.

—Bien..., bien..., sacadla de aquí —dijo, sacando del bolsillo un gran pañuelo azul que se colocó ante la boca y la nariz, mientras regresaba con premura al taburete alto.

—No somos muy aficionadas a ver la sangre, ¿verdad? —la que lo decía estaba arrodillada en el suelo al lado de Diana y la ofrecía los primorosos pañuelos blancos que había recogido entre las operarias.

Al fin llegó el agua fría. Diana apartó el delantal de la sien de Lyddie. El primer borbotón de sangre se había transformado en un goteo. Introdujo el pañuelo en el agua y le limpió la herida con la misma suavidad que una vaca lame a su recién nacido.

—¿Ves bien? —le preguntó.

—Creo que sí —la cabeza le martilleaba, pero al abrir los ojos veía casi tan bien como siempre pudo hacerlo en aquella sala polvorienta, iluminada por lámparas. Cerró los ojos de inmediato para aliviar el dolor.

—¿Cómo tienes el estómago? ¿Sientes ganas de vomitar?

Lyddie negó con la cabeza y se detuvo. Cualquier movimiento aumentaba el dolor.

Lyddie oyó desgarrar una tela al lado del oído. Abrió los ojos.

—Tu delantal. No lo hagas. Los delantales cuestan dinero —dijo Lyddie.

Diana parecía no escucharla, pues continuaba desgarrándolo hasta convertirlo en tiras. Vendó la cabeza de Lyddie con las piezas menos ensangrentadas y las sujetó con una más estrecha.

—¿Crees que podrás levantarte? —le preguntó.

Por toda respuesta, Lyddie comenzó a levantarse. Diana y Delia la ayudaron a mantenerse en pie.

—Quédate quieta un ratito, no intentes moverte todavía —dijo Diana.

El recinto le daba vueltas. Estiró el brazo hacia el

bastidor del telar para sujetarse. Diana le rodeó los hombros con un brazo.

—Apóyate en mí. Te llevaré a casa —dijo.

—La campana no ha sonado todavía —protestaba Lyddie débilmente.

—Oh, Lyddie, Lyddie, ¿qué vamos a hacer contigo? —dijo Diana suspirando y acercándola más a ella.

—Delia, ayúdanos a bajar las escaleras, por favor. Creo que podré llevarla yo sola el resto del camino.

Caminaron lenta, muy lentamente, deteniéndose cada pocos pasos para descansar.

—No queremos que se abra la herida otra vez. Tranquila, despacio —dijo Diana.

La señora Bedlow ayudó a Diana a llevar a Lyddie escaleras arriba hasta la enfermería del segundo piso y no a su habitación como ella quería. Sin embargo, la cabeza la martilleaba tanto que no era capaz de insistir para que la subieran otros dos pisos.

—Enviaré a Tim a buscar al doctor Morris —oyó que decía la señora Bedlow. «No, no», quería decir Lyddie. «El médico cuesta dinero.»

—No, el doctor Morris no. El doctor Craven, en Fletcher Street —dijo Diana.

Estaba dormida cuando el médico llegó, pero abrió los ojos al oír un murmullo de voces a su alrededor.

—Lyddie, el doctor Craven tiene que verte la herida —dijo Diana suavemente.

Allí estaban los dos, de pie, inclinados hacia ella. La cara familiar de Diana, colorada y sonriéndole con ansiedad, y el doctor... Era un caballero apuesto y joven de ojos oscuros que estudiaban los suyos. Tenía las manos largas y finas, que extendía para aflojar el improvisado vendaje de Diana.

149

—Ahora veamos esa herida —dijo en un tono compuesto de preocupación y seguridad; el médico perfecto.

Lyddie se quedó boquiabierta.

—¿Te duele? —preguntó mientras retiraba las manos.

Lyddie negó con un gesto de cabeza. El asombro no provenía del dolor, sino del propio médico. Le había visto antes, con Diana, el verano pasado en Merrimack Street.

14

Enfermedades y peticiones

EL sábado por la tarde ya estaba de nuevo en su habitación y el domingo el dolor había desminuido. El doctor Craven le había cortado el pelo alrededor de la herida y vendado la cabeza debidamente, pero ella se quitó el vendaje. Volvería al trabajo al día siguiente, calva o como fuese. Nunca había sido presumida; a decir verdad, tampoco tuvo nada de lo que presumir. No iba a empezar ahora a quejarse de su aspecto.

Al principio, Amelia y la señora Bedlow pusieron objeciones a que volviera al trabajo tan pronto, pero en seguida se callaron. Lyddie iría a trabajar por encima de todo.

—Si no puedes trabajar... —había dicho el señor Marsden—. Además, Diana vino el domingo por la noche y dijo que parecías haber recobrado las fuerzas. Diana lo sabría, ¿no es cierto?

Se acostó temprano pero no podía dormirse. Cuando se tumbaba, las punzadas en la cabeza eran más fuertes. Pensó en su familia. «Supongamos que esa maldita lanzadera la hubiera matado o sacado un ojo. ¿Qué harían? Y Diana ¿qué pensaría?» No se había atrevido a

151

preguntarle sobre el doctor Craven. Ella no dio explicaciones de por qué envió a buscarle en lugar del doctor Morris, quien cuidaba habitualmente de las chicas del número cinco. El doctor Craven era tan bueno como cualquier médico o todavía mejor. No le pasó factura.

La campana de guardar silencio sonó. Amelia se acostó al igual que Betsy, aunque ésta mantuvo la vela encendida estudiando por la noche, como hacía a menudo. Al cabo de un rato sopló la vela y se deslizó bajo el edredón. Entonces comenzó aquel espantoso sonido desgarrado que Lyddie llegó a temer se le clavara en cada centímetro de nervios agarrotados de su dolorido cuerpo. El ruido cesó al fin.

—Betsy, quiero que el doctor Morris te vea por esa tos —la voz de Amelia llegaba de la otra cama.

—Ya soy mayor, Amelia. No me regañes.

—No te regaño. Si no fueras tan testaruda...

—¿Qué me va a decir, Amelia? ¿Que descanse? ¿Cómo voy a hacer eso? Me faltan unos meses para irme; si dejo de trabajar ahora...

—Yo voy a hacerlo.

—¿Qué?

Hubo un suspiro en la oscuridad.

—Me marcho, me voy a casa.

—¿A casa?

—He llegado a odiar la fábrica. Oh Betsy, odio lo que están haciendo conmigo. Ya ni siquiera me reconozco. Esta corporación me está transformando en una solterona amargada.

—Es el invierno. Es difícil sentirse alegre en la oscuridad. Cuando llegue la primavera volverás a ser nuestra santa residente —la voz de Betsy era más cariñosa de lo habitual.

152

Amelia ignoró la provocación.

—Ya he pasado por otros inviernos. No es la estación —suspiró otra vez, más profundamente que antes—. Estoy cansada, Betsy. No puedo seguir el ritmo.

—¿Quién puede, excepto nuestra amazona Lyddie? —la risa de Betsy se transformó bruscamente en una tos que sacudió la cama.

Lyddie se hizo un ovillo e intentó evitar que el sonido del mohoso serrucho penetrara en su propio pecho. ¿Llevaría Betsy mucho tiempo tosiendo de esa manera? ¿Por qué no la había oído antes? Tiene que haber algún jarabe o tónico, incluso el opio...

—Debes ir al médico por esa tos. Prométeme que lo harás —dijo Amelia.

—Haremos un trato, Amelia. Yo iré al médico si tú me prometes quedarte hasta el verano. No puedo imaginarme el número cinco sin ti —dejó de toser, se aclaró la garganta y dijo con voz todavía ronca—: ¿Cómo me las arreglaré? Eres mi tormento..., mi... mi ángel guardián.

Después de aquella noche se produjo un curioso acercamiento entre sus compañeras de habitación, pero aun así, Amelia se fue a casa de visita la última semana de enero y no regresó. Escribió diciendo que su padre la había encontrado una plaza de maestra en el pueblo de al lado.

«Perdóname, Betsy, y por favor te ruego que vayas al médico», escribió.

Teniendo una cama para ella sola, Lyddie estaba menos angustiada por la tos de Betsy y, aunque no fue nunca a ver al doctor Morris, estaba mejor, se decía a sí misma. Definitivamente la tos era menos intensa de lo que había sido. Lyddie añoraba a Amelia. En tiempos se hubiera imaginado que se sentiría aliviada con su partida, pero Betsy tenía razón. Ambas la necesitaban de un modo extraño: era su irritante ángel guardián.

La herida se había curado. Le creció el pelo y le cubrió la cicatriz. Trabajaba tan bien y tan duro como siempre. La paga de enero ascendió a once dólares y veinte centavos, excluyendo la manutención. Todo le iba sobre ruedas cuando el señor Marsden la retuvo una noche al salir. Las máquinas estaban silenciosas, así que no pudo fingir sordera.

—¿Te has recuperado? ¿No tienes problemas con la... la cabeza? —Lyddie negó con un gesto e hizo un movimiento para irse—. Tienes que cuidarte. Sabes que eres mi mejor chica.

Le puso una mano en el brazo. Ella miró hacia allí y él la retiró, enrojeciendo ligeramente mientras su boquita redonda preparaba la próxima frase.

—Mañana tendremos nuevas operarias; no son tan listas como tú, pero prometen. Colocaré una a tu cargo. Déjala que trabaje como suplente en una de tus máquinas.

Maldita sea. ¿Cómo podía negarse? ¿Cómo explicarle que no debían reducir su velocidad? No tendría un boba enredando con sus telares.

—Tengo que hacer mis piezas —dijo refunfuñando.

—Sí, desde luego; las harás. Será un día todo lo más. No dejaré que nadie obstaculice tu trabajo —dijo sonriendo con la boca, pero no con los ojos—. Eres mi chica. La que me consigue la prima.

—No soy su chica ni la de nadie; me pertenezco a mí misma.

—Bien, está hecho —dijo extendiendo el brazo como si fuese a darle palmaditas, pero Lyddie lo apartó rápidamente para escapar al contacto.

La nueva chica, Brigid, era del Acre. Una papista irlandesa hasta la médula que llevaba extrañas capas sobrepuestas y olía incluso peor que la propia Lyddie. Olfateó algo más que pobreza y sudor invernal. Presintió el desastre. La única ventaja de la chica era que dominaba mejor el habla de Nueva Inglaterra que la mayoría de su gente. No es que hablara a menudo. Estaba ensordecida por la maquinaria y demasiado intimidada para hacer preguntas incluso cuando lo necesitaba.

En cuanto a los nudos, el básico de tejedor, la chica sencillamente no podía hacerlos. Lyddie le hacía una demostración: con los dedos empolvados, agarraba los cabos, hacía un lazo, pasaba el hilo y tiraba. Todo ello con un movimiento fluido que producía mágicamente un hilo de urdimbre saneado, sin rastro del nudo que señalara la rotura.

—¡Lo haces sin mirar! —gritó la chica alarmada. Desde luego, Lyddie no miraba porque no lo necesitaba. Sus dedos anudarían el hilo en un retrete a medianoche y sería tan perfecto como invisible.

—Acércate. Lo haré más despacio —dijo armándose apenas de paciencia.

Detuvo las cuatro máquinas y cortó con las tijeras dos hebras de hilo de una bobina. Llevó a la chica junto a la ventana, donde había más luz, y perdió cinco

155

preciosos minutos anudando y anudando una y otra vez el nudo de prueba, hasta que la chica fue capaz, si bien torpemente, de hacer uno abultado.

—Mejorará con la práctica —dijo Lyddie con brusquedad, sacudiendo la cabeza varias veces y deseando que los telares parados rugieran de nuevo.

Enhebrar la lanzadera era incluso peor. Lyddie metía la canilla llena en la lanzadera y a continuación ponía como siempre la boca en el agujero y aspiraba el cabo de hilo para sacarlo; tiraba de él, lo enrollaba con rapidez en un gancho del templén, arrojaba la lanzadera en los tacos y ponía en marcha el telar. La siguiente vez que tuvieron que cambiar la canilla, dejó que Brigid la enhebrara y, mientras miraba a la chica que ponía la boca en el agujero y aspiraba del hilo, le vinieron a la cabeza las palabras «beso de la muerte». Siempre había creído que esas palabras eran una broma entre tejedoras, pero aquí estaba una extranjera de olor extraño chupando las lanzaderas de Lyddie y ensalivando el agujero. Lyddie limpió corriendo la punta con su delantal antes de arrojar la lanzadera en el taco.

—No queremos lanzaderas volantes —chilló, con la cara casi tan roja como la de la chica irlandesa.

Al terminar el primer día, la chica estaba muy lejos de ser capaz de atender su propia máquina, pero a Lyddie se le había acabado la paciencia. Le dijo al señor Marsden que le asignara a la chica un telar cercano.

—La vigilaré y atenderé mis máquinas al mismo tiempo.

Antes del descanso del mediodía siguiente, una lanzadera volante rozaba el hombro de la chica y dejó que se le acabara el hilo de trama, estropeando varios centímetros de tela. Cuando se rompía un hilo de urdimbre, en lugar de golpear la palanca para detener el telar de inmediato, la chica se cubría con el delantal y se echaba a llorar.

—Para el telar. Esta vez no puedes hacer el nudo. A estas alturas deberías saber hacerlo, ¿eh? —le decía Lyddie a gritos desde su sitio. La chica rompió a llorar de nuevo, y antes de que Lyddie decidiera qué hacer con ella, Diana estaba allí deteniendo el telar. Roja de vergüenza, Lyddie miró a Diana, que, sin el más mínimo destello de impaciencia, ayudaba a la chica a recuperar los cabos rotos y a hacer el nudo de tejedor. Una vez terminado, cuando Diana se echó atrás y le dijo a la chica que colocara la palanca en su sitio, Lyddie le tocó el hombro:

—Lo siento —musitó.

Diana asintió con un movimiento de cabeza y volvió a trabajar. Al sonar la última campana, Lyddie se encontró a sí misma bajando las escaleras al lado de Diana.

—Tu Brigid lo hará bien —dijo Diana.

—No lo sé —dijo Lyddie preguntándose cómo Diana sabía el nombre de la chica, y a continuación se sintió preocupada porque la extranjera fuera «suya»—. Es una manazas llorona. Esas irlandesas son tan tontas.

—A todas se nos permite ser tontas las dos primeras semanas, ¿no es así? —dijo Diana sonriendo irónicamente.

—Nunca te he agradecido bastante que cuidaras de mí y que tu médico no me haya enviado la factura. En realidad no me quejo, pero... —dijo Lyddie roja de rabia.

Diana no hizo comentario alguno sobre el médico.

—Parece que se te ha curado bien la cabeza. ¿Cómo estás? Espero que no te duela.

—Oh, estoy bien. Soy tan terca como una mula —dijo Lyddie.

—¿Tan terca como para añadir tu nombre a la petición? —susurraba Diana.

Lyddie estaba segura que le tomaba el pelo.

—Supongo que nunca llegaré a ese grado de testarudez —dijo Lyddie.

Betsy firmó la petición. Una miembro de la Reforma del Trabajo Femenino la pescó en una farmacia una noche y la hizo inscribir su nombre.

Lyddie estaba furiosa.

—Te pillan cuando estás con la defensa bajada. Van deslizándose por la ciudad y se aprovechan cuando las chicas están enfermas o cansadas. Ahora te pondrán en la lista negra y, ¿qué haré yo sin ti? —dijo Lyddie.

—Es mejor salir por la puerta grande que arrastrándose, ¿no te parece? —pero Betsy nunca se permitía imaginarse el despido. No la pondrían en las listas negras ni la despedirían.

La tos no mejoraba. Solicitó el traslado al taller de estirado. El trabajo de estirar hilos de urdimbre desde el plegador, atravesando las mallas, las varillas y los peines, se hacía a mano y con mucho cuidado. El aire en esta sala era más limpio y había muchísimo menos ruido. Si bien el remetido necesitaba gran habilidad, no precisaba de la fuerza física requerida en el taller de máquinas, y las chicas trabajaban sentadas en taburetes altos. El taller de estirado fue un cambio afortunado para Betsy, pero llegó demasiado tarde para ser eficaz. La tos persistía y comenzó a quedarse en su habitación algunos días. Más tarde pasó a la enfermería de la pensión hasta que, finalmente, cuando expectoró flemas sanguinolentas, la señora Bedlow solicitó que la trasladaran al hospital.

Lyddie fue a verla el domingo y la llevó su libro de botánica y un par de novelas que le costaron veinte centavos en la biblioteca de préstamos.

—Tienes que sacarme de aquí. Me sangrarán hasta quitarme el último centavo que he ahorrado —dijo Betsy entre accesos de tos.

Pero ¿dónde podía ir Betsy? La señora Bedlow no la acogería en su casa; no estaba dispuesta a asumir la responsabilidad. El doctor Morris por su parte opinaba que estaba demasiado débil para viajar hasta Maine e ir a casa de su tío.

Lyddie escribió al hermano de Betsy. Estaba en Cambridge —a menos de un día de viaje por tren o diligencia—, pero transcurrieron tres semanas antes de que contestara diciendo que se estaba preparando para el examen final y quizá podría ir a visitarla al final del trimestre.

Betsy no pudo menos de reírse.

—Bien, él es nuestro adorado niñito —dijo rompiendo a toser. Había una mancha roja en su pañuelo.

—Pero si tú le has pagado los estudios en la universidad.

—¿No harías tú lo mismo por tu Charlie?

—Pero Charlie es... —Lyddie iba a decir «bueno», pero se contuvo a tiempo.

159

—Nuestros padres murieron y él es el varón y heredero —dijo Betsy como si eso lo explicara todo.

Betsy mejoró algo cuando templó un poco, y en abril vino su tío para llevársela a Maine. Para entonces sus ahorros se habían esfumado, llevándose también su buen aspecto.

—Guárdame la cama, Lyddie. Volveré el año próximo para empezar de nuevo. Algún día tendré el dinero suficiente para ir a la universidad por mucho que baje el precio de las piezas. Puede que sea la chica de más edad en la corporación antes de que tenga dinero otra vez, pero si admiten mujeres en Oberlin estoy segura que no les importará el pelo gris y algunas arrugas.

«No volverá nunca», pensaba Lyddie con tristeza viendo desaparecer la calesa cuando doblaba la esquina y se dirigía a la estación para tomar el tren del norte. «Nunca volverá a ser tan fuerte como para trabajar en una fábrica trece o catorce horas al día.»

«Cuando esté preparada para irme es posible que firme esa maldita petición. No por mí; no lo necesito, pero por Betsy y las demás. No hay derecho que este sitio chupe la fuerza de la juventud y luego se deshaga de ella como si aventara el grano.»

Estaba parado en la puerta de entrada del número cinco cuando Lyddie llegó con la avalancha de chicas que venían a comer.

—Lyddie Worthen... —dijo su nombre tan bajito, que casi pasó de largo sin oírle—. Señorita Lyddie...

Giró hacia la voz, que no le parecía familiar, y vio a un hombre alto que le resultaba desconocido. Más tarde se dio cuenta que no llevaba puesto el sombrero cuáquero, amplio y negro. Le hubiera reconocido en el acto por el sombrero. A la luz del sol tenía el pelo del mismo color que el pecho de un petirrojo. Varias chicas dieron codazos y soltaron risitas al pasar a su lado para subir los escalones de la pensión.

—Confiaba que viniera —dijo. Era tan alto que necesitaba inclinarse para hablar con ella—. Soy Luke Stevens. ¿Me ha olvidado? —sus ojos oscuros buscaban la cara de Lyddie.

—No, no me he olvidado; sólo que no esperaba...

—Me preguntaba si me reconocería con esta ropa extraña.

Llevaba camisa y pantalones vaqueros, la clase de tela de algodón fuerte que las fábricas de Lowell escupían por kilómetros. Le hubiera reconocido al instante con el sombrero cuáquero y la ropa oscura tejida por su madre.

—Llevo una carga a Boston —dijo casi en un susurro, echando un vistazo a su alrededor mientras hablaba—. Vigilan para encontrar Amigos en los caminos.

—¡Oh! —dijo Lyddie sin comprender nada.

—Papá le envía esto —dijo tendiéndole un paquete envuelto en papel oscuro y del tamaño de un libro pequeño—. No quería arriesgarse a ponerlo en el correo, y puesto que yo iba camino de Boston...

Lyddie tomó el paquete de su mano grande y áspera de granjero.

—Te agradezco que te hayas molestado —dijo.

—No es ninguna molestia.

¿Enrojecía aquella cara curtida por el sol y el viento? ¡Qué raro le parecía aquel hombre!

Sintió la necesidad de ser educada:

—Posiblemente la señora Bedlow encuentre algo de comida para ti. Nosotras veníamos a comer —dijo.

—No puedo quedarme mucho tiempo. Me esperan en Boston, pero..., pero... se lo agradezco.

—Bien...

—Será mejor que siga mi camino...

—Bien... —Lyddie oía las voces y el alboroto de la hora de la comida incluso a través de la puerta cerrada. Si él no se iba, apenas tendría tiempo para comer.

—Es extraordinariamente bueno verla, Lyddie Worthen. La echamos en falta allá arriba, en la montaña —dijo.

Lyddie intentaba sonreír.

—Gracias por el... —cualquiera que fuese el contenido del extraño paquete—. Ha sido muy amable por tu parte traerlo desde tan lejos —¿cuándo diablos se marcharía?

—Vuestro Charlie está bien. Estuve en el molino la semana pasada —dijo Luke.

—¡Charlie! ¿Cómo le va? ¿Está bien de salud y contento?

—Tan alegre como siempre. Es un buen chico, Lyddie.

—Sí. Lo sé. Dale mis... mis recuerdos cuando le veas, ¿eh?

Luke asintió inclinando la cabeza.

—Vuestra casa ha aguantado bien el invierno —él la vio mirar a la puerta de reojo.

—No debo entretenerla más antes de la comida. Dios le guarde —dijo Luke.

—Y a ti —dijo Lyddie.

Él esbozó una amplia sonrisa de despedida y se fue.

No tuvo tiempo de abrir el paquete hasta después de cenar. En el interior, y envuelto en sucesivos papeles marrones, había un extraño documento con aspecto oficial que, en un principio, no tenía sentido para ella. Estaba acompañado de una carta escrita por mano desconocida.

Mi querida señorita Lydia:

A estas alturas habrá perdido la esperanza de tener noticias mías y pensará que soy un hombre que no cumple su palabra. Por favor, perdone mi tardanza. Gracias a los buenos oficios de nuestros amigos los Stevens (en efecto, verdaderos Amigos), así como a su grato préstamo, pude llegar a salvo a Montreal. Ahora disfruto de la compañía de mi familia. Por tanto, le adjunto un cheque que no podrá compensar nunca mi enorme deuda con usted.

Con gratitud eterna, su amigo,
Ezekial Freeman.

No podía creérselo. Cincuenta dólares. Al día siguiente empleó el descanso de la hora de la comida para correr al banco. Sí, era un cheque auténtico de un banco de Montreal. Cincuenta dólares. Con un trozo de papel, su cuenta se había hinchado como una vaca a punto de parir. Tenía que averiguar en seguida cuánto era la deuda. Es probable que ya tuviera suficiente para liquidarla. «¿Por qué no había contestado su madre a su pregunta? ¿Supo ella alguna vez el importe? ¿Le daría lo mismo? ¡Oh, Dios mío! ¿Habrá

163

odiado siempre la granja? ¿Estaría contenta de habér-
sela quitado de encima?»

Lyddie escribió de nuevo aquella misma noche.

> Querida madre:
> No has contestado a mi carta de ace unos
> meses. Necesito saber el importe total de la
> deuda. Escrive pronto.
> > Tu hija que te quiere,
> > *Lydia Worthen.*

No se tomó el tiempo necesario para comprobar
la ortografía. Lacró la carta en seguida. A continuación y de mala gana, la reabrió e introdujo un dólar.

Se despertó una vez por la noche y reflexionó sobre cómo era ella en el pasado y en lo que se había
convertido. Se maravillaba que hubiera existido un
tiempo en el que dio a un extraño, casi con alegría, todo lo que tenía, pero ahora le resultaba difícil enviarle
un dólar a su propia madre.

15
Rachel

LYDDIE no habló del dinero con nadie. Deseaba contárselo a Diana. Estaba segura de que ella compartiría su alegría, pero decidió esperar. Se acercaba el momento de tener el dinero que necesitaba, y entonces sorprendería a Diana firmando la petición. Sin embargo, a la semana de que Luke le trajera el dinero, tuvo un segundo visitante que dio un vuelco a su vida.

Había dejado abierta la puerta para ver si entraba un poco de aire fresco en la atmósfera cargada del dormitorio mientras lavaba en el lavabo las medias y la ropa interior. De pronto, fue consciente de la presencia de Tim en el umbral. Levantó la vista de la tarea.

—Tienes un visitante en la sala. Mamá dice que te lo cuente. Un caballero.

¡Charlie! Estaba segura de que era él, hecho ya un caballero, pues ¿qué otro hombre podía venir a verla? Descartaba a Luke Stevens. Estrujó la ropa para quitarle el agua y secándose apresuradamente las manos con el delantal, corrió escaleras abajo.

Pero no era Charlie quien la esperaba en la esquina del comedor que la señora Bedlow llamaba sala. Tampoco era Luke. Se preguntaba cómo Tim había podido llamarle «caballero». Al principio estaba segura que se trataba de un extraño. Aquel hombre pequeño y muy delgado, con la cara curtida y vestido con la ropa hecha en casa propia de un granjero de las montañas, parecía estar fuera de lugar en aquella habitación llena de chicas de fábrica bien vestidas que charlaban.

—¿No reconoces a tu tío, eh? —preguntaba el hombre en el momento en que Lyddie reconocía a Judah, el marido de tía Clarissa, a quien no veía desde que era una chiquilla.

—He tardado dos días, durmiendo en el carro —se jactaba.

Lyddie intentaba sonreír, pero el corazón le punzaba el pecho como una cuchilla afilada. ¿Qué le habría traído allí? Todo lo relacionado con Clarissa significaba siempre problemas.

—¿Qué pasa? —Lyddie hablaba tan bajo como podía al ver que todos los ojos de la habitación abarrotada se dirigían hacia ellos—. ¿Por qué has venido?

Se puso serio de inmediato como si recordara que tenía una obligación importante.

—Tu tía Clarissa piensa que es necesario decirte...

—Decirme, qué —la recorrió un escalofrío.

—Tu madre nunca ha estao bien, sabes...

—¡Las fiebres! ¿Ha cogido las fiebres?

Judah miró a su alrededor, a las chicas que estaban sentadas y fingían no escuchar pero que aguzaban el oído, alertas como criaturas salvajes en la pradera. Él bajó la voz y dándose golpecitos en la cabeza dijo:

—Bien de aquí, ¿eh?

Lyddie le miró fijamente. ¿Qué habían hecho con

su madre? Judah bajó los ojos, incómodo ante su mirada.

—Así que nos vimos obligaos...

—¿Qué habéis hecho con mi madre? —masculló furiosa.

—Tuvimos que internarla en Brattleboro, en el manicomio.

—¡Pero ese sitio es para los locos!

Judah puso cara de perro apaleado y suspiró profundamente:

—Demasiada responsabilidá para la pobre Clarissa, con lo delicada que está.

—¿Por qué no lo consultasteis conmigo? Si me responsabilicé de ella antes, también lo haré ahora.

Él galleó:

—No'stabas allí, ¿eh?

—¿Dónde está Rachel? ¿Qué habéis hecho con la niña?

—Vamos —dijo él aliviado al abandonar el tema de su madre—. Vamos, ella está bien. Ahí afuera en el carro. Te l'he traído.

Lyddie lo apartó para dirigirse a la puerta. El carro de la granja estaba allí; el paciente buey, inconsciente de lo cómicamente fuera de lugar que estaba en la calle de una ciudad, rumiaba satisfecho. Aunque arriba el aire estuviera cargado, en la calle era frío y húmedo y Rachel temblaba en el pescante del carro, envuelta en un chal roto que Lyddie reconoció era de su madre.

Subió al carro y bajó a la niña en brazos. Rachel pesaba demasiado poco y estaba desmadejada como una muñeca de trapo. Mientras Lyddie subía los escalones de entrada a la pensión, notó que su pequeña carga temblaba bajo el chal.

167

—Tranquila, Rachie. Soy yo, Lyddie —dijo confiando que la niña la recordara.

Llevó a Rachel dentro, donde Judah estaba todavía toqueteando nervioso el borde de su sombrero, sucio de sudor.

—Es tu hermana, Rachie —espetó Judah impostando la voz para que sonara animada. Las chicas de la sala dieron un grito de sorpresa—. Como te dijo tía Clarissa, ¿eh? T'hemos traído con Lyddie.

—¿Tienes sus cosas?

Como respuesta, él salió y acercándose al carro trajo un saco que tenía un montoncito en el fondo.

—¿Qué hay de las cosas de mi madre? —preguntó fríamente, sin importarle ya la audiencia ni lo que pudieran oír.

—No había ná —dijo él. Lyddie no insistió; casi tenía razón.

—Bien —dijo Judah mirando de una hermana a la otra—, yo me voy, ¿eh?

—Iré a recoger a nuestra madre lo antes que pueda. En cuanto pague la deuda. La llevaré a casa y la cuidaré.

Ya en la puerta, Judah se volvió apretando con fuerza el ala del sombrero entre sus manazas.

—¿Llevarla a dónde?

—A casa —repitió Lyddie—. A la granja.

—Vamos a venderla. Necesitamos el dinero para..., para Brattleboro.

—¡No! —su voz era tan aguda, que las chicas abandonaron lo que estaban haciendo para mirarles. Incluso la pequeña Rachel se retorció en sus brazos para mirarla asustada. Acercándose a Judah, bajó la voz hasta musitar con rabia—: Nadie puede vender la granja excepto mi padre.

—Dio permiso.

—¿Cómo? —la invadió una esperanza salvaje. ¡Su padre! Entonces habían tenido noticias suyas—. ¿Cuándo?

—Antes de irse. Hizo que lo escribieran en un papel y puso una cruz. En caso de... ¿eh?

Quería gritarle, pero ¿cómo iba a hacerlo si ya había asustado a Rachel?

—No tenéis derecho —dijo entre dientes.

—No tenemos elección —dijo el hombre con tozudez—. Semos responsables —y se marchó.

Una vez más, Lyddie notó que las chicas miraban boquiabiertas y sorprendidas el pequeño fardo sucio que llevaba en los brazos. Hundió la cara en el chal.

—Vamos, Rachie —dijo tanto para la niña como pensando en las chicas—. Tenemos que ver a la señora Bedlow.

Se irguió por completo y se abrió paso entre sillas y rodillas hasta la cocina.

—¿Señora Bedlow? —la gobernanta estaba sentada en la mecedora de la cocina pelando patatas para el picadillo del día siguiente.

—¿Qué demonios traes?

Ante la brusca pregunta de la mujer, la cabecita de Rachel salió de las profundidades del chal como la de una tortuga del caparazón.

—Es Rachel, señora Bedlow —Lyddie suavizó el tono de la voz cuanto pudo—. Mi hermana Rachel.

Leyó la advertencia en los ojos de la señora Bedlow: «Ni hombres ni niños (excepto los de la gobernanta) en una casa de la corporación.» Aunque es probable que la mujer no tenga el valor de...

170

—Le ruego que me permita bañarla. Ha hecho un viaje largo y penoso en un carro de bueyes y está helada hasta los huesos, ¿eh, Rachie?

Rachel se puso rígida en sus brazos. La señora Bedlow dejó el cuchillo en el cuenco de las patatas peladas, se limpió las manos en el delantal y puso una olla a calentar.

Una vez que ambas vieron a Rachel plácidamente dormida en la cama de Lyddie, la señora Bedlow dijo las palabras que Lyddie sabía que le rondaban por la cabeza.

—Sabes que no lo haré. No se puede quedar aquí.

—La encontraré un trabajo; puede cardar.

—Sabes muy bien que no es ni lo suficientemente mayor ni fuerte para ser cardadora.

—Sólo hasta que aclare las cosas —rogaba Lyddie—. Por favor, déjela quedarse. Lo arreglaré en unos días, ¿eh?

La señora Bedlow suspiró y movió la cabeza.

—La pagaré, por supuesto. La pensión completa. Ya ve lo esmirriada que está, y no comerá todo lo que la ponga.

La señora Bedlow se sentó y cogió el cuchillo. Lyddie contuvo la respiración.

—Una semana, incluso eso... No serán más de quince días. Le doy mi palabra. Voy a escribir a mi hermano ahora mismo.

La señora Bedlow estaba indecisa, pero no dijo que no. Se limitó a suspirar y empezó a pelar patatas otra vez. Las pelaba muy finas y dejaba la cáscara entera y casi transparente.

—Le quedo muy agradecida, señora Bedlow. No tengo ningún otro sitio al que acudir.

—No debe salir a la calle ni que la vea nadie en la casa.

—No, no. Lo juro. La tendré en mi habitación. Las demás chicas no se enterarán.

La señora Bedlow miró a Lyddie irónicamente.

—Ya lo saben y no hay garantías de que se lo callen.

—Les pediré...

—No hace falta que la encierres arriba más de lo necesario. Durante el día puede estar conmigo y haré que Tim la ayude con las letras y los números por las tardes. Debería ir a la escuela.

—Lo hará, señora Bedlow. Lo hará. Tan pronto como arregle las cosas. Juro por mi vida...

—Hija mía, cuida tu lenguaje. Tienes que darle ejemplo a la pequeña.

—Gracias, señora Bedlow. No tendrá que preocuparse, se lo prometo.

Escribió a Charlie aquella misma noche, después de la campana de silencio, a la luz vacilante de un prohibido cabo de vela.

Querido hermano Charles:

Espero que estés bien. Siento molestarte con malas noticias, pero el tío Judah vino a Lowell esta noche y dejó a Rachel conmigo. Han llevado a nuestra madre al manicomio de Brattleboro. Ahora quieren vender la granja. Debes ir a impedírselo. Eres el hombre de la familia. Judah no me haría caso. Tienen que escucharte. Tengo más de cien dólares para la deuda. No les dejes que la vendan, Charlie. Te lo ruego. No sé qué hacer con Rachel. En las

172

casas de la corporación no se permite tener niños. Si pudiera la llevaría a casa, pero no tengo casa a la que ir. Queda en tus manos, Charlie. Te suplico que se lo impidas a tío Judah.

Tu hermana que te quiere,
Lyddie Worthen.

Apenas si podía concentrarse en el trabajo. ¿Qué más le daba si la granja se había esfumado? ¡No era cierto! No podía serlo después de tantos sudores para ahorrar. Y ¿qué iba a hacer con Rachel? La niña no había dicho una palabra desde su llegada. Ni siquiera lloraba. Parecía estar más muerta que viva. Debía gastar un tiempo precioso en buscarle acomodo y un dinero también precioso para mantenerla, y más aún si tenía que ir a la escuela. ¿Por qué no podía la niña trabajar en el taller de hilado? Allí había niñas irlandesas que no tendrían más de siete u ocho años y se ganaban la vida. ¿La propia Lyddie no había trabajado duro desde que era un renacuajo? Cardar no era tan pesado como el trabajo en la granja. ¡Si aquellas niñas apenas trabajaban quince minutos a la hora, quitando las desvanaderas llenas y reemplazándolas por otras vacías! Luego se sentaban en el rincón y jugaban o charlaban. Lyddie las había visto por la ventana, en días claros, correr por el patio de la fábrica jugando al pillapilla o a las canicas. Era una vida fácil comparada con la de la granja, y estaría a salvo y ganándose la vida.

Como si no tuviera bastantes problemas, Brigid lloraba de nuevo. Lyddie miró el telar. Todo parecía en orden, pero la chica irlandesa estaba allí, contemplando la máquina que vibraba, mientras las lágrimas corrían por sus mejillas. Lyddie comprobó rápidamente sus propios telares antes de acercarse a ella y decirle al oído:

—¿Qué te pasa, eh?

Brigid miró asustada a su alrededor. Se mordió los labios y sacudió la cabeza.

Lyddie se encogió de hombros. Ya iba siendo hora de que la chica aprendiera a cargar con sus problemas.

El señor Marsden detuvo a Lyddie en las escaleras cuando iba a desayunar. Se le encogió el corazón. ¿Cómo se habría enterado ya de lo de Rachel? ¿Alguna chica lo había largado tan pronto? Lyddie sabía que la envidiaban. Era la mejor operaria del taller. Pero el señor Marsden no quería hablarle de Rachel, sino de la desgraciada chica irlandesa.

—Dile que ha de aumentar la velocidad. No puedo tenerla ni siquiera como suplente a menos que mantenga el ritmo adecuado —dijo.

¿Por qué no se lo decía él mismo? Era el encargado. Brigid no le pertenecía. Lyddie no había pedido la ayuda de una suplente —ni la quería— y ahora él intentaba descargar su responsabilidad en ella. Habló con Brigid después del descanso.

—Dice que tienes que despabilarte, si no te hecha.

El miedo agrandó los ojos de la chica y le recordó, maldita sea, la cara de Rachel cuando se sentaba silenciosa, encerrada en sí misma, en un rincón de la cocina de la señora Bedlow.

—¡Diablos! —la chilló al oído—. Te ayudaré. Llevaremos juntas los cinco telares durante unos días hasta que te encuentres mejor, ¿eh?

La chica sonrió débilmente, todavía asustada.

—Y presta atención a tu maldito trabajo, ¿me

174

oyes? No estamos aquí para vigilar si la máquina te engancha el pelo o te hiere en la cabeza una lanzadera volante porque seas una idiota que tiene la cabeza en otro sitio.

Las lágrimas asomaron a los ojos de la chica, pero se mordió los labios de nuevo y asintió. Lyddie vio la sonrisa aprobatoria de Diana. «Menos mal que no puede oírme», pensó Lyddie maliciosamente. «Entonces no creería que soy tan amable.»

Cuando sonó la campana de las siete, Brigid parecía menos preocupada y el señor Marsden se acercó orgulloso a las dos chicas para darles palmaditas. Lyddie suspiró y ni se molestó en esquivarle. Había conseguido el menor número de piezas en un día desde que atendía cuatro telares y aún había de volver a casa a soportar la carga de la muda Rachel.

—Mira, así no vamos a ninguna parte. No nos habla ni a Tim ni a mí. No dice una palabra. Se sienta en un rincón temblando como un ratón paralizado de terror —dijo la señora Bedlow.

—Al menos, ¿come algo?

—¿Comer algo? ¡Come como si no lo hubiera hecho en un mes de comidas dominicales! La doy de comer con Tim y ¡casi zampa como él, que es un chico crecido! Pero nunca dice ni mú; devora como si fuera el único plato que existe a este lado de la tumba.

Lyddie miró la cara enojada de la señora Bedlow y después bajó la vista hacia la cabeza de Rachel. La niña temblaba «como Oliver», pensó Lyddie. «Como Oliver».

—¿Un poco más? Colgarán a este chico. Sé que colgarán a este chico.

—Oh, Rachie, Rachie. No quiero pensar que estás

hambrienta. La pagaré más —le prometió a la señora Bedlow.

—No es el dinero... —pero para Lyddie estaba muy claro que era cuestión de dinero, además del riesgo, así que prometió que al día siguiente iría al banco a sacar efectivo. Tenía que comprar tiempo, al menos hasta saber algo de Charlie.

Cuando terminó de cenar, recogió a Rachel de la cocina, la llevó al retrete y la condujo de la mano escaleras arriba hasta el dormitorio. Llevaron a cabo estos movimientos sin que ninguna de las dos dijera una palabra en voz alta, aunque en la cabeza de Lyddie se producían largas conversaciones. Una vez que arropó a la niña con el edredón, dijo en voz alta algunas de las frases que había ensayado mentalmente.

—¿Qué has hecho hoy, Rachie? ¿Estudiaste algo con Tim? ¿No es divertida la señora Bedlow? Es simpática, eh, pero está asustada por saltarse las normas... Tenemos que hacer lo que ordena la corporación, ¿sabes?, porque de lo contrario nos echan del trabajo y qué haríamos entonces, ¿eh? —no tuvo respuesta. No esperaba ninguna, pero siguió.

—No debes preocuparte, Rachie. Judah no puede vender la granja. Charlie y yo se lo impediremos. La conservaremos para papá —¿hubo un destello de vida en sus ojos?— y para mamá y para Charlie y Rachie y también para Lyddie.

¿Eran imaginaciones suyas que la niña se había relajado un poco o se trataba de un truco de la luz de la vela?

Quizá si le leyera en voz alta, como Betsy hizo con ella. Lyddie abrió *Oliver Twist* y comenzó. No se dio cuenta del momento en que Rachel se quedó dormida.

176

Lyddie se sumía en el consuelo de las palabras familiares. Cuando sonó la campana, apagó la vela de un soplo y se acostó en la oscuridad, sintiendo la presencia cercana del pequeño cuerpo.

«¿Qué haría? ¿Dónde buscaría ayuda? No podía mantener a Rachel en la casa y, sin embargo, ella debía vivir en una casa de la corporación para conservar el trabajo. Sin su trabajo, ¿qué sería de ellos?, pero ¿cómo iba a dejar esta pobre criatura en manos de extraños?»

Maldijo a sus tíos. «¿En qué pensaban para traer a la niña aquí?, pero ¿no estaba mucho mejor con ella, que la quería, que con aquel par que no le habían dado suficiente de comer?» Pobre pequeña Rachel y pobre mayor Lyddie. Se revolvía en la cama. Tenía que dormir. No podía hacer nada hasta que Charlie diera señales de vida. Seguramente Charlie le pararía los pies a Judah para que no vendiera la granja, y entonces, con deuda o sin ella, llevaría a Rachel a casa. «Dejadles que intenten echarme de aquella tierra otra vez. Que lo intenten.»

Dormía agitada y en sueños vio al oso, pero de repente, en el apogeo de sus torpes intentos, desembarazándose de la olla se transformó. Como si fuese un macho joven, pegó un salto hasta el pajar donde ellos se acurrucaban y no pudo abatirle con la mirada.

177

16
Las fiebres

SACAR dinero del banco era como si le arrancaran un diente de raíz. A continuación, una vez pasado el mal trago, depositó en la mano de la señora Bedlow dos dólares antes de ir a la ciudad a comprarle a Rachel un par de zapatos y un chal y encargarle un vestido. Después de haber gastado tanto, Lyddie malgastó otros cincuenta centavos comprándole un libro para aprender a leer y un volumen pequeño de rimas que el librero le había recomendado. Al terminar, Lyddie se había gastado más del salario de dos semanas. De la suma principesca que había sacado, le quedaba en el bolsillo menos de un dólar. Intentaba no pensar en ello. «Es por Rachel, ¿no? ¿Cómo iba a ser tacaña con la niña?»

Al día siguiente, Brigid iba más lenta que nunca y Lyddie no podía hacer nada para que dejase de llorar. Repetidas veces quitaba la lanzadera de las torpes manos de la chica, succionaba el hilo desde la bobina y lo tiraba en el tope, rabiando porque una máquina estuviera parada unos segundos. Brigid estaba al borde del llanto todo el día.

Al fin Lyddie explotó cuando, una vez más, el descuido de la chica provocó una maraña y se estropeó una pieza.

—¡Ten cuidado, chica! Olvídate de todo menos del telar —gritó Lyddie.

—No puedo olvidarme. Madre enferma grave y no hay dinero para el médico —contestó Brigid.

—Aquí tienes —Lyddie sacó el cambio del bolsillo del delantal y lo metió en el de Brigid—, esto es para el médico. Ahora ocúpate de la máquina, ¿eh?

Los días siguientes fueron mejores que los precedentes. Le arrancó a Rachel algunas palabras y el esbozo de una sonrisa cuando le leyó en voz alta el libro de rimas.

Doctor Foster fue a Gloucester.
Bajo un chaparrón
pisó en un charco
se dio un remojón
y volvió en barco.

—Bueno, ésta es la época del barro en Vermont, ¿eh?

Rachel sonrió. Animada, Lyddie compuso una rima para ella.

Tío Judah fue a Bermuda.
Con las lluvias de abril
entró en el lodo,
hasta el codo
y se fue al toronjil.

Esta vez no cabía duda: la niña sonreía.

179

El trabajo también mejoraba. El agradecimiento de Brigid por el regalo resultaba patético. Llegaba al trabajo antes que Lyddie y tenía dos de las máquinas engrasadas y relucientes para cuando ella entraba en el taller.

El señor Marsden estaba muy contento. El jueves, su sonrisa cruzaba la sala continuamente. Lyddie decidió no mirar hacia aquel lado, pero aun así sabía que mantenía fija la boquita de piñón, formando un arco remilgado.

«¡Qué calor hacía en el taller! Desde luego siempre hacía calor y estaba lleno de vaho, pero de todas formas... Quizá si ella no ardiera hubiera podido conservar la cabeza en su sitio, pero tenía tanto calor, estaba tan agotada aquel jueves de mayo, que le pilló de sorpresa, sin defensas.»

Él la hizo detenerse y la retuvo hasta que todos se marcharon. Justo en el momento en que sintió la necesidad de tumbarse en el suelo antes de desmayarse, la paró y le puso en las mangas sus dos manos pesadas, regordetas y blancas, descansando todo el peso sobre los brazos de Lyddie. También decía algo, pero la cabeza le estallaba y no podía entenderle. ¿Qué quería de ella? Tenía que irse. Tenía que ver a Rachel. Le ardía todo el cuerpo. Necesitaba ponerse un paño frío en la frente y él seguía sujetándola. Intentó fulminarle con la mirada, pero los ojos le quemaban en las cuencas. Deseaba gritar: «¡Déjeme marchar!» Intentaba soltarse, pero él apretaba con más fuerza. Acercaba poco a poco su extraña boquita a la cara encendida de Lyddie.

Ella musitó algo sobre no sentirse bien, pero eso hizo que él dulcificara la mirada y le pasara un brazo por los hombros.

180

¿Qué la impulsó a hacerlo? ¿La enfermedad, la desesperación? Lyddie nunca lo supo. El caso es que levantó un pie y clavó en el del hombre el tacón de la bota con toda su alma. Él dio un grito y, soltándola, se dobló de dolor. Fue justo el tiempo que Lyddie necesitaba. Bajó la escalera a trompicones, cruzó el patio y estuvo a punto de caer desfallecida en la puerta del número cinco. Él no había intentado seguirla.

Lyddie no fue a trabajar ni al día siguiente ni muchos otros que le siguieron. La fiebre la consumía y estaba inconsciente. En una ocasión notó que alguien le ponía un paño frío en la frente y alzó la mano para bajarlo hasta los párpados que le quemaban. Sobre su mano caliente reposaba una manita fría que la acariciaba tímidamente. En algún lugar, a mucha distancia, oyó a una vocecita tararear. A continuación le levantaron el pesado brazo y muy suavemente lo introdujeron bajo el edredón.

Avisaron al doctor Morris. Lyddie intentó protestar. No podía gastarse el dinero en médicos, pero si fue capaz de decir aquellas palabras, lo hizo con lengua de trapo y nadie las comprendió.

La campana sonaba, pero ahora el sonido era muy lejano. Ya no tocaba para ella. La gente entraba y salía de la habitación oscura. Unas veces, la señora Bedlow le daba cucharadas de caldo; otras, lo hacía alguna de las residentes. Diana y Brigid estaban allí, pero ¿quién había mandado buscarlas?

Brigid trajo un brebaje irlandés que la señora Bedlow intentaba rechazar, pero la chica no se iría hasta que le permitieran introducir unas cucharadas en la boca de la enferma. Y siempre, cada vez que Lyddie emergía de las profundidades de la fiebre para recobrar la consciencia, veía a Rachel a su lado.

«Se pondrá enferma», intentaba protestar Lyddie. «Haced que se vaya o llevadme a la enfermería. Es demasiado débil.» O Lyddie no conseguía articular las palabras o nadie podía o quería entenderlas. El caso es que cada vez que recobraba el sentido, Rachel estaba allí.

Una mañana se despertó sobresaltada. La campana tocaba y le golpeaba en la dolorida cabeza. Se sentó bruscamente. La habitación le daba vueltas y se hundía a su alrededor. Con más lentitud, dejó las piernas colgando del borde de la cama y cuando quiso ponerse de pie cayó al suelo como un ternero recién nacido.

—Rachel, ayúdame. He de volver a trabajar —llamó.

La niña se levantó de la otra cama y gritó:

—¡Estás despierta! ¡Lyddie, no te has muerto!

Lyddie se dejó caer en la almohada y dijo débilmente:

—No, todavía no. Aún podemos brincar.

17

La cardadora

HABÍAN transcurrido dos semanas desde que cayera enferma y el doctor Morris todavía se negaba a dejarla volver al trabajo. La cabeza clamaba protestando y las piernas apenas la llevaban hasta el retrete. Su cuerpo no la había traicionado así con anterioridad. Despreciaba su debilidad y cada día, al oír la primera campana, se obligaba a sí misma a levantarse y vestirse, pero sólo podía permanecer en pie unos minutos, ni siquiera el tiempo suficiente para lavarse en el lavabo, antes de que el sudor le bañara la frente por el esfuerzo. Se veía obligada a dejar que Rachel la ayudara a volver a la cama.

Pasaba demasiado tiempo acostada. Dormía y dormía, pero aun así estaba despierta muchas horas preocupándose, y su cabeza se enmarañaba como los hilos en un telar enredado. «¿Por qué no escribe Charlie? Hace tiempo que debiera haber tenido noticias suyas. A lo mejor la carta se ha perdido. Eso es.» Se sentó en la cama.

—Es mejor que descanses, Lyddie —Rachel estaba allí como siempre—. Lo ha dicho el médico.

—Alcánzame papel, la pluma y el tintero de aquella caja que está encima de la sombrerera. He de escribir a Charlie otra vez.

Rachel obedeció, pero aunque le tendía el material para escribir, protestaba:

—No has de preocuparte, Lyddie. Lo dice el doctor.

Lyddie puso la mano sobre la cabeza de Rachel. Tenía el pelo suave como plumón de ganso.

—De acuerdo, Rachie. Estoy mucho mejor, ¿eh? Casi bien del todo.

Rachel frunció el ceño, pero su mirada era limpia; no tenía los ojos vidriosos e inexpresivos de su llegada. Lyddie la acarició el pelo.

—Me he buscado una enfermera muy buena. No me lo hubiera imaginado.

Rachel sonrió y señaló la caja con los útiles de escribir.

—Cuéntaselo a Charlie —dijo.

—Tenlo por seguro. Se sentirá terriblemente orgulloso.

A la semana siguiente se sentía realmente capaz de volver al trabajo y recordaba, cada vez que respiraba, su última actuación en la fábrica. Dios misericordioso. Probablemente no tendría trabajo al que volver. «¿Lo había hecho? ¿Le dio un pisotón al señor Marsden con el tacón de la bota?» No sabía si echarse a reír o a llorar. Envió una nota a Brigid —la mayoría de las chicas se cuidaban mucho de hablar de Diana ante las narices del señor Marsden— pidiéndole que Diana y ella vinieran a verla después de la cena.

Aquella noche vinieron las dos, tal y como Lyddie esperaba. Brigid le trajo sopa hecha por su ya completamente recuperada madre y medio frasco de las Pastillas Infalibles para la Salud del Doctor Rush.

—Madre jura que no hay nada mejor —dijo poniéndose colorada.

Diana le tendió un libro encuadernado en rústica: *Notas americanas,* del señor Charles Dickens.

—Puesto que eres una gran admiradora de este caballero, pensé que te gustaría saber lo que ha escrito sobre la vida en las fábricas de Lowell. Supongo que las compara con las infernales fábricas textiles inglesas. De todas formas, diría que es un poco romántico —dijo Diana.

—Un libro del señor Dickens. ¿Cómo sabes que...?

—Querida, si una persona se dedica a copiar un libro página a página y lo pega en su bastidor...

Lyddie envió abajo a Rachel y a Brigid para que le pidieran una taza de té a la señora Bedlow.

—Diana, tengo que preguntarte una cosa. ¿El señor Marsden ha dicho algo de mí?

—Sí, desde luego. Te echó en falta en seguida. Eres su mejor chica.

Lyddie notó que la cara se le ponía carmesí.

—Le dije que preguntaría por ti. Eso fue cuando supe lo enferma que estabas. Un montón de chicas han faltado por las fiebres, especialmente las irlandesas. En el Acre ha habido muchas muertes.

Lyddie miró a lo lejos a través de la sucia y pequeña ventana del dormitorio.

—Gracias a Dios. ¿Cómo hubiera podido dejar a mi niña sola?

Diana, que estaba sentada en el borde de la otra cama, se acercó y puso la mano suavemente sobre el brazo de Lyddie.

185

—Me alegro mucho de que te hayas salvado —dijo con suavidad.

Lyddie apretó los labios y asintió.

—Supongo que soy demasiado terca para morir.

—No me extrañaría.

—¿Puedes reunir, digo recordar, lo que dijo el señor Marsden cuando preguntó por mí?

—No habló directamente conmigo. Sabes que no le gusta pensar que tú y yo somos amigas, pero me consta que estaba preocupado. No quería perderte.

—¿Así que todavía tengo el puesto?

Diana la miró como si Lyddie estuviera loca.

—¿Por qué diablos lo ibas a perder?

—Le di un pisotón.

—¿Que tú...?

—Estaba febril, sólo que yo no lo sabía, eh, y él intentó sujetarme cuando las demás se fueron. No me soltaba, así que... le di un pisotón.

Diana echó la cabeza hacia atrás y soltó una carcajada.

—No es una broma. Me echará por hacerlo.

—No, no —dijo Diana intentando serenarse y sacando el pañuelo para limpiarse los ojos—. No, no lo creo. Seguramente está más asustado que tú. Lyddie, ¿has visto alguna vez a la señora encargada Marsden? Si llega una palabra a oídos de esa augusta dama...

Dejó de reírse bajando la voz y, con la vista puesta en la puerta abierta, continuó:

—De todas formas, yo no convertiría en práctica habitual el ataque al encargado, querida. Sé más discreta en el futuro si quieres seguir en la corporación. Puede llegar el día que el señor Marsden aproveche cualquier excusa para dejarte marchar.

186

Diana sonrió con ironía.

—Parece que te estoy aconsejando para que no firmes la petición o te asocies con ninguna conocida radical.

—A lo mejor no quería hacerme nada. Yo ardía de fiebre y puede que confundiera amabilidad con…, con… —Lyddie hizo una mueca—. Sabes que no soy la clase de chica a la que los hombres miran de esa manera. Soy tan fea como un cepellón.

Diana arqueó las cejas, pero Rachel y Brigid estaban en la puerta con el té, así que no dijo nada más.

«Fingiré.» Pensaba Lyddie mientras intentaba despejar las brumas de su cerebro delante de la taza humeante. «Fingiré que deliraba por la fiebre y no sabía lo que hacía, que ni siquiera puedo recordarlo.»

—Quiero ser cardadora, Lyddie —dijo Rachel.

Lyddie había cepillado el pelo rizado de su hermana y ahora le hacía las trenzas. Rachel quería llevarlas sujetas en lo alto de la cabeza como las chicas mayores de la casa, pero Lyddie insistía en que las llevara colgando. No podía soportar que Rachel pareciera la caricatura de una mujer.

—Brigid dice que su hermana pequeña es cardadora y no es mayor que yo.

—Oh, Rachel. Tienes que ir a la escuela.

A Lyddie le gustaba trenzar el pelo de Rachel, pero de pronto se sintió avergonzada de tener sólo una cuerda para sujetar las trenzas. Debiera haberse gastado algo en cintas. Rachel, aunque demasiado delgada, era preciosa. Se merecía unos lazos brillantes para atarle los rizos sedosos al final de cada trenza.

187

Iluminarían su vestido oscuro, pero las cintas y las gomas del pelo costaban dinero. Se enrolló cada rizo en el dedo índice y les dio un último cepillado.

—Tenemos que conseguir que entres en la escuela. No querrás crecer hecha una ignorante como tu Lyddie.

—Tú no eres una ignorante alta*. Te ve leer.

—Rachie, ¿quieres que lea para ti?

—No. Quiero que me dejes ser cardadora.

—Tenemos que esperar y luego veremos, ¿eh? Cuando tengamos noticias de Charlie...

Pero no supieron nada de él y sí del cuáquero Stevens.

Querida hermana Worthen:

Vuestro hermano me pidió que me ocupara de la venta de la granja. Todas las indagaciones han sido inútiles, pero como tengo asuntos que resolver en la vecindad de vuestro tío el próximo miércoles, se lo preguntaré directamente ese día. Confío que vos y la pequeña estéis bien de salud. Mi hijo Luke pide que vos le recordéis.

Vuestro amigo y vecino,
Jeremiah Stevens.

Lyddie intentaba no sentirse furiosa con Charlie por no haberla escrito directamente. Después de todo, había hecho lo más sensato. Ante la ley y su tío, ellos no eran más que unos niños. Judah tendría que escu-

---

* Juego de palabras. *At all*: de ningún modo, nada. *A-tall*: una alta. En lugar de decir «Tú no eres nada ignorante», Rachel pronuncia la frase escrita en el texto *(N. de la T.)*.

188

char al cuáquero Stevens. Era un hombre con fortuna. Se alegraba al saber que Luke llegó bien a casa. Comprendió finalmente que la carga que él fue a buscar era humana.

Sin embargo, la carta significaba que no podía esperar más tiempo. Tenía que buscar una solución para Rachel. La quincena prometida ya había transcurrido y ella misma debía volver al trabajo al día siguiente. Envió a Rachel al dormitorio, metió la carta en el bolsillo del delantal y se fue a la cocina.

No empezó por la solicitud, sino con una oferta de ayuda para preparar la comida. La señora Bedlow siempre agradecía las ayudas extra en la cocina, incluso ahora que la casa albergaba sólo a veinte chicas.

—Me ha concedido usted más de una quincena, señora Bedlow, y se lo agradezco —dijo en cuanto vio que la col estaba picada y el pan cortado en rebanadas.

—Estuviste al borde de la muerte, Lyddie. No soy una desalmada.

—Claro que no —Lyddie esbozó la sonrisa más cálida de que era capaz—. Ha sido usted algo más que buena conmigo y los míos, por eso me atrevo…

—Sabes que no lo haré. No puedo tenerla aquí indefinidamente.

—Pero si ella fuera cardadora…

—Si no es más que una niña.

—Es menuda, pero es trabajadora. ¿No me ha cuidado, eh?

—Te sacó adelante; yo no lo hubiera garantizado…

—¿Puede usted preguntárselo al apoderado por mí? Sólo hasta que aclare las cosas con mi hermano.

Lo único que quiero es llevarla a casa. No será por mucho tiempo, se lo juro. Mientras tanto, no tengo valor para dejarla con extraños.

La señora Bedlow se ablandaba. Lyddie podía verlo en la distensión de sus rasgos. Volvió a la carga con ansiedad:

—Serán unas pocas semanas y le daré un dinero extra. Sé que es duro para usted tener alojadas sólo a veinte chicas...

—Hablaré con el apoderado, pero no puedo prometerte...

—Lo sé, lo sé. Si usted me hiciera ese favor; es muy trabajadora y está tan deseosa de ayudarme.

—No te prometo nada.

—¿Iría usted ahora a preguntarlo?

—¿Ahora? Estoy a medias con la preparación de la comida.

—Yo la terminaré. Por favor. Así podría llevarla conmigo cuando vuelva a trabajar mañana...

Estaba arreglado. Lyddie sospechaba que la señora Bedlow añadió unos años y varios kilos de peso en la descripción de Rachel al apoderado, pero lo único que obtuvo fue una mirada escéptica del encargado del taller de hilado cuando le presentó a Rachel para trabajar a la mañana siguiente. La niña era tan vivaz y dispuesta y sonreía con tanta dulzura, que la mirada escéptica se derritió y la enviaron corriendo por la nave hasta el lugar de las demás cardadoras, bajo la vigilancia de una simpática hiladora de mediana edad.

Lentamente, Lyddie subió los tramos de escalera hasta la tejeduría. La preocupación por Rachel había alejado de momento su propio temor de encontrarse otra vez con el señor Marsden. No se atrevía a mirar en su dirección y se fue derecha hacia sus telares, donde Brigid ya estaba ocupada limpiando y engrasando las máquinas.

—Tienes mejor color —dijo Brigid.

Qué bonita era la chica, con el pelo castaño y los ojos azul claro brillantes como el cielo de febrero después de una nevada. Sin embargo, era la sonrisa lo que la transformaba en una auténtica belleza. Lyddie le devolvió la sonrisa. No envidiaba la prestancia de otras mujeres, y aunque hubiera tenido esa inclinación no escatimaría esa generosidad de la naturaleza a alguien tan pobre en los demás terrenos.

—Entre Diana y yo cubrimos las máquinas lo mejor que pudimos mientras faltaste, pero notarás por tu salario que el trabajo no se acerca a lo que sería si tú hubieras estado —sonrió excusándose.

Esto fue todo lo que tuvieron tiempo de hablar antes de que el señor Marsden se subiera al taburete y tirara de la cuerda que hacía rugir y sacudía el taller. Lyddie pegó un brinco y luego se echó a reír. ¡Con qué rapidez se había olvidado del ruido! En cuestión de segundos, estaba en su puesto y se había olvidado de todo lo demás: el señor Marsden, su debilidad, la granja, Charlie e incluso de Rachel. Era estupendo estar de nuevo entre sus fieras. En cierto modo la pertenecían.

Cuando sonó la campana del desayuno, estaba demasiado cansada para comer. De haber podido elegir, se hubiera sentado en el hueco de la ventana, pero tal cosa la dejaba sola en el taller. Miró al señor Marsden y corrió hacia las escaleras. Él no hablaba con ella. Era como si nada hubiera sucedido entre ellos, excepto que ya no se acercaba a su telar para darle palmaditas y animarla. Ni una sola vez.

Se las arregló para tomar el desayuno, o al menos una parte. Rachel se atiborraba como las chicas de la fábrica, hablando con entusiasmo al mismo tiempo. Únicamente paró un momento para mirar a Lyddie y decirle con la boca llena:

—Come Lyddie. Tienes que comer para ponerte fuerte.

Así transcurrieron el desayuno y la comida, pero en la cena apenas tomó un poco de estofado antes de arrastrarse hasta la cama. El cansancio era como el dolor de muelas en los huesos. Hubiera maldecido su debilidad de haber tenido fuerzas para ello.

No obstante, cada día estaba un poco más fuerte. Al principio no lo notaba, igual que los adolescentes no son conscientes de que van creciendo. Hacia el final de la semana se dio cuenta de que se había tomado un plato entero en la cena y remoloneaba en la sala con Rachel. La niña estaba mirando fascinada las artes de un frenólogo que vendía sus servicios a las chicas.

—Por favor, Lyddie. Que nos mire la cabeza —rogaba Rachel.

—Conozco mi cabeza, Rachel. ¿Por qué iba a pagar un buen dinero para descubrir que es fea como los cepellones y terca como una mula?

—Eres tan roñosa que un penique se helaría en tu puño antes de gastártelo —replicó mordazmente el frenólogo—. Haré la lectura gratis, porque no hay esperanza de que pagues.

Las otras chicas que estaban en la sal se rieron disimuladamente. Incluso Lyddie intentó esbozar una sonrisa, pero Rachel estaba indignada.

—Ella no es tacaña. Me va a comprar cintas —declaró—. Vamos, Lyddie —añadió tomándole la mano—. Vamos a leer el libro que me compraste.

Las chicas rieron de nuevo, pero más abiertamente. Nunca les había importado mucho Lyddie, a la que sabían apegada al dinero y a sus amigas, pero Rachel se estaba convirtiendo rápidamente en su mascota.

Qué estéril había sido su vida antes de la llegada de Rachel. Tenerla aquí era igual que ver los manantiales regando el desierto. Aquella noche le besó la cabecita antes de arroparla.

—¿Crees que tu hermana es una vieja solterona mala, eh?

Rachel se puso furiosa de nuevo.

—¡Eres la mejor hermana del mundo!

Lyddie apagó la vela de un soplo. Permaneció tendida, escuchando la respiración acompasada de Rachel, y oyó en su cabeza los cantos de los pájaros en los bosques primaverales. Su felicidad sería completa teniendo noticias de Charlie. El dinero volvía a aumentar. Casi llegaba a la cifras anteriores a pesar de los salarios perdidos por la enfermedad, y aunque Rachel ganaba una miseria, llegaba para pagar el cuarto y la manutención de la niña. Raras veces había sido tan feliz.

Se despertó extrañada durante la noche. Creía haber oído a Betsy, aquel sonido seco y horrible que le atravesaba la caja torácica y se le clavaba en el corazón. Estaba ya completamente despierta y supo que era Rachel.

«No es más que un resfriado. Seguramente no es nada. Estará bien en una semana. Mira, la niña tiene los ojos vivos y está alegre como siempre. Si estuviera enferma, verdaderamente enferma...»

Lyddie guardó celosamente para sí el descubrimiento de la tos nocturna, pero el miedo crecía como un tumor. Comenzó a permanecer despierta escuchando el espantoso ruido hasta que, al fin, supo que debía enviar a la niña lejos, a cualquier sitio donde no respirara el aire envenenado de la fábrica.

«Se me partirá el corazón si mando a la niña lejos.» Lyddie no podía soportar la idea. También le dolería a Rachel. La habían llevado demasiadas veces de un sitio para otro en su corta vida. «Me adora. A mí, por muy dura y roñosa que sea. Se aferra a mí como no lo hizo nunca con su madre. Me necesita.»

Lyddie no sabía qué hacer y estaba demasiado atemorizada para preguntarlo. Nadie debía saberlo. Le dio a Rachel las píldoras que le trajo Brigid. No tenía fe en ellas, pero debía intentarlo. Ponía emplastos en el pecho de la niña procurando convertirlo en un juego, tratando desesperadamente de ocultar su propio terror. Lo iba consiguiendo. Rachel estaba contenta como siempre y despreocupada como un gatito. En medio de un espasmo de toses, Rachel sacó el tema a la luz.

—Qué tos tan tonta. Todas las chicas la tienen —dijo.

Lyddie no tenía que preocuparse. «Era verano y hacía bueno. Rachel se repondría en seguida. Se tomarían el mes de julio libre. Volverían a la granja.» Era un sueño vano, Lyddie lo sabía. Allí no tendrían nada para comer. La vaca no estaba y nadie había sembrado el grano.

Triphena. Enviaría a Rachel con Triphena. Aunque ello significaba también la señora Cutler y aquel ático solitario y sin ventilación. ¿Cómo iba a hacerle a Rachel, con ocho años, lo que su madre le hizo a ella con trece? Fue duro incluso a esa edad y lleno de soledad. No se había dado cuenta hasta ahora de la soledad, ahora que ya no estaba sola.

Una noche de finales de junio —acababa de leerle a Rachel antes de irse a dormir—, Tim llamó a la puerta.

—Tienes visita, Lyddie. En la sala —dijo.

18
Al fin, Charlie

APENAS le reconoció. No es que hubiera crecido, sino que parecía en cierto modo más grande; un extraño. Iba vestido con tela tejida en casa, pero la ropa estaba bien cortada y se adaptaba a su cuerpo. Llevaba el pelo castaño arreglado y peinado, y en la mano derecha una bolsa de viaje.

—Hermana —dijo suavemente. Ella no había oído antes aquella voz y no la hubiera reconocido como suya—. Hermana —repitió, y le salió un gallo al decir—: Soy yo, Charles.

—Sí Charles —dijo ella—, al fin has venido.

Él sonrió. Lyddie buscaba en vano al niño divertido y serio que conocía. Aún no había complido los trece años. ¿Cómo pudo deshacerse de la niñez tan pronto?

Charlie echó una ojeada por la habitación abarrotada y los muchos ojos que le contemplaban se sumergieron rápidamente en la costura, el punto o la conversación.

—Tomé el ferrocarril —dijo con orgullo—. La diligencia para cruzar New Hampshire hasta Concord, y el resto del viaje lo hice en tren.

196

Charlie sonrió abiertamente como un niño, pero no precisamente como el niño que ella recordaba.

Lyddie no supo qué decir. Los trenes le importaban un bledo; aquellas cosas peligrosas y sucias. Ella anhelaba saber algo de la granja.

—Bien. ¿Estarás cansado, eh?

Lyddie buscaba con la mirada un par de sillas vacías en la sala de recibir. Al darse cuenta, tres chicas se levantaron y dejaron libres las suyas en el rincón más lejano de la habitación, detrás de las mesas. Les dio las gracias y condujo allí a Charlie. Era ella quien necesitaba sentarse.

—Bien —dijo arreglándose el delantal sobre el regazo—. ¿Entonces?

Era lo más parecido a una pregunta que pudo articular.

—Traigo buenas noticias, Lyddie —dijo, y en su voz asomaba algo del niño que ella conocía. El corazón se le ensanchaba—: Los Phinney me han confirmado como aprendiz.

—¿Eh?

—Realmente, algo más que eso. Me tratan como a uno de los suyos. No tienen más hijo que yo.

—Tienes una familia —dijo Lyddie desfallecidamente.

—Lyddie, siempre serás mi hermana. No lo olvido. Sólo que... —dejó la bolsa de mano en el suelo y puso la capa encima con cuidado. Ahora tenía las manos demasiado grandes en relación al tamaño del cuerpo. Charlie levantó la vista hacia ella—. Sólo que no tengo que preocuparme de nada cuando me levanto cada mañana y me acuesto por la noche. Hago mi trabajo diariamente y tres veces al día tengo la comida preparada. Si el trabajo afloja voy a la escuela. Lyddie, me hacen la vida agradable.

Quería gritarle y recordarle lo duro que había trabajado para él, que lo había intentado con toda su alma, pero sólo dijo en voz baja:

—Quise hacerlo por ti, Charlie. He intentado...

—Lo sé, Lyddie; lo sé —dijo inclinándose hacia ella—. Pero no es justo para ti. Tú que no eres más que una chica, has intentado ser a la vez padre, madre y hermana para todos nosotros. Era demasiado. Esto también es mejor para ti. ¿No te parece?

«¡No!» Quería dar alaridos. «¡No! ¿Entonces, para qué sirvo?» Sin embargo, mantuvo los labios apretados para contenerse. Finalmente dijo:

—Está Rachel...

Él sonrió de nuevo, con aquella sonrisa de adulto que le transformaba en un extraño.

—También tengo buenas noticias sobre ella. La señora Phinney me ha pedido que lleve conmigo a Rachel. Ansía tener una hija y será muy buena con ella, ya lo verás. Incluso le manda un vestido. Lo ha hecho ella misma para que Rachel se lo ponga para el viaje en tren, y además un casquete. —Charlie desvió la mirada hacia la bolsa de viaje que estaba al lado de la silla—. Rachel no ha tenido nunca una madre como Dios manda.

«Me tiene a mí. ¡Oh, Charlie!, no soy perfecta, pero hago lo que puedo. ¿No lo ves? Hice lo mejor por ti. Ella es todo lo que me queda. ¿Cómo voy a dejar que se vaya?» Pero aunque se atormentaba, sabía que no tenía elección. Notó que una cuchilla afilada le atravesaba el corazón. «Si se queda aquí conmigo morirá. Si me aferro a ella le causaré la muerte.»

Oyó a su propia voz, tranquila como una mañana después de la tempestad o serena como la muerte, decir:

—¿Cuándo os iréis?

—El tren sale de Lowell a las siete y cinco de la mañana. Vendré a recogerla a las seis y media.

—La prepararé antes de irme a trabajar —Lyddie se puso en pie. Ya no había nada más que decir.

Charlie también se levantó con la capa en la mano. Deseaba, ella lo sabía, decirla algo más, pero no sabía cómo hacerlo. Lyddie esperaba.

—La granja... —comenzó a decir.

La granja. Unos minutos antes pensaba que era lo más importante en su vida. Ahora había dejado de interesarle.

—El tío Judah está obligado y decidido a venderla.

—Bien, que lo haga —dijo Lyddie haciendo un gesto de asentimiento.

Charlie sonrió forzadamente.

—Para ser un hombre que dice que el Señor puede dar fin a la Creación en un segundo, se preocupa excesivamente de las cosas terrenales.

Lyddie se dio cuenta que intentaba ser gracioso, así que esbozó una sonrisa.

—Pero si casi me olvido de... —Charlie buscaba en un bolsillo interior y sacó una carta lacrada.

Lyddie se le quedó mirando.

—¿No me enviará dinero?

—¿Quién?

—El tío.

—Oh, no. Él no lo haría. Dice que el dinero de la

venta le corresponde por cuidar de mamá y las niñas durante este tiempo. No. Esto es una carta.

Se la tendió, al tiempo que estudiaba la cara de Lyddie.

—Es de Luke.

—¿Qué Luke?

—¡Lyddie!, nuestro amigo Luke. Nuestro vecino Luke Stevens.

Charlie estaba asombrado. Él no podía saber que ella estaba dos siglos más allá del día en que Luke les llevó a ambos al pueblo, y al menos un siglo más lejos de cuando el joven cuáquero estuvo en el umbral del número cinco con su extraño disfraz.

Lyddie metió la carta en el bolsillo del delantal y le dijo:

—Gracias y adiós, supongo. No estaré aquí cuando vengas por la mañana.

—Las cosas irán bien, Lyddie. Será lo mejor para todos nosotros, ¿eh? —había ansiedad en su voz al decir—: También será lo mejor para ti.

—Te olvidas de la bolsa —dijo Lyddie.

—No. Es para Rachel.

Charlie la alzó del suelo y se la tendió a Lyddie. Extendió la mano para estrechar la de su hermana, pero ella tenía las dos ocupadas sujetando la bolsa con fuerza. Se limitó a asentir con la cabeza. «La próxima vez que le vea será más alto que yo», pensaba Lyddie. «Si llega esa próxima vez.» Le acompañó hasta la puerta.

—Adiós —musitó entre dientes. De haberlo intentado, no hubiera sido capaz de decirlo en voz alta.

Subió las escaleras como si fuera una mujer anciana y decrépita, sujetándose a la barandilla y tirando de su cuerpo escalón a escalón. Rachel dormía profundamente. No la despertaría. A la luz de la vela estudiaba su deliciosa carita. Demasiado delgada y pálida, con la piel casi transparente. Lyddie le recogió un rizo que se había escapado de la trenza y le acarició la mejilla con ella. En cualquier momento empezaría aquella tos que extenuaba su cuerpecito y sacudía la cama. La señora Phinney la cuidaría. Podría ir a la escuela. Tendría una vida agradable y una verdadera madre. Se olvidará de la fea, ruda y tacaña Lyddie, que sólo le compró cintas porque se sentía obligada a hacerlo. «¿Sabrá alguna vez cuánto la quise? ¿Con qué alegría hubiera dado mi vida por ella? ¿Cómo, Dios mío, me estoy muriendo por ella?»

Sacó el vestido de la bolsa. Era de una deliciosa muselina estampada. Parecía demasiado grande para el cuerpecillo de Rachel, pero ya lo rellenaría. Pronto crecería y engordaría hasta convertirse otra vez en una extraña. Las lágrimas de Lyddie empapaban el vestido. Se limpió la cara con la punta del delantal y siguió sacando los complementos: el casquetito, adornado con cintas y un lazo; las enaguas, apropiadas para una boda, llevaban un entredós con un largo de cinta rosa en la parte superior del dobladillo, puro desperdicio, donde nadie la vería nunca excepto Rachie.

Preparó la bolsa. Le costó menos de un minuto. Rachel tenía tan pocas cosas. Se acordó de la cartilla y decidió guardarla. Rachel tendría ahora una nueva mucho mejor. Tomó el libro de rimas de la mesilla, lo metió en el bolso y lo sacó otra vez. Alcanzó la caja de útiles de escribir, metió la pluma en el tintero y escribió penosamente en la guarda: «Para Rachel Worthen de su hermana Lydia Worthen, 24 de junio de 1846.»

Mientras escribía, se enjugaba el rostro con el delantal para no emborronar la página.

Permaneció despierta casi toda la noche oyendo toser a Rachel, un sonido que lastimaba y cortaba su propio cuerpo. Pero aquel dolor era su salvación. Sabía, ya no le quedaba ninguna duda, que Rachel debía abandonar Lowell.

Cuando tocó la primera campana, en lugar de despertar a Rachel como de costumbre esperó a estar vestida y lista para marcharse. Entonces la sacudió con suavidad.

Rachel se despertó en seguida. Estaba asustada.

—¡Llegaré tarde! ¿Por qué me has dejado dormir tanto?

—Hoy tienes una invitación, Rachie. Charlie viene a recogerte.

—¿Charlie, mi hermano Charlie? —estaba tan emocionada como si realmente pudiera recordarle. Lyddie rasgó una telaraña de envidia.

—Viene para llevarte de visita.

—¿Quiere que yo le visite?

Estaba entusiasmada, pero vio algo raro en la cara de Lyddie.

—Tú también vienes, ¿verdad Lyddie?

—No, yo no. Tengo que trabajar, ¿eh? —la cara de la niña se ensombreció—. Iré más adelante —Lyddie extendió el brazo—: ¡Arriba!, tienes que prepararte.

Rachel tomó la mano de Lyddie y se puso de pie. La niña dormía siempre con edredón, incluso bajo el espantoso calor veraniego.

—¿Cuánto tiempo estaré fuera, Lyddie?

—No lo sé. Charlie y yo creemos que deberías quedarte un tiempo. Asegúrate de que te deshaces de esa tos tonta, ¿eh? De todas formas, en la fábrica hace demasiado calor en verano. Muchas chicas se van de permiso cuando llega julio.

—¿Te irás de permiso, Lyddie? —Rachel llevaba un camisoncito y se rascaba una pierna con los dedos del otro pie.

—A lo mejor. Quién sabe, ¿eh? —Lyddie escurrió la toalla del lavabo y se la tendió a Rachel para que se lavara.

—Ven conmigo ahora, Lyddie.

—Sobre la otra cama hay un vestido nuevo para que te lo pongas. Tienes que vestirte con elegancia para viajar en tren.

—¿En el ferrocarril?

—Eres la chica con más suerte que he conocido. Vestido y casquete nuevos, viaje en tren, vacaciones con un hombre guapo... —tomó la toalla de las manos de Rachel y levantándole la cabeza comenzó a lavar su cara afilada—. Ahora aprende bien las letras para que puedas escribirme contándome el viaje en tren con detalle.

La campana comenzó a sonar. Lyddie se dio la vuelta con rapidez y escurrió la toalla sobre el lavabo. Miraba a la pared para no traicionarse.

—Volveré dentro de una hora —dijo animadamente—. Así que vístete, baja y pídele a la señora Bedlow que te dé un gran desayuno extra.

Giró sobre sí misma lo suficiente como para darle a Rachel un leve beso en la mejilla y se fue corriendo hacia la puerta.

—Ven pronto, Lyddie —la voz de Rachel la seguía por las escaleras—. Te echaré de menos.

—Sé buena con Charlie —le contestó corriendo

escaleras abajo con gran estrépito para tapar cualquier sonido, borrar cualquier duda.

Hacía casi una semana desde que Rachel se fuera cuando encontró la carta con su nombre escrito con una letra pequeña y clara. La había metido en la maleta unos días antes y, al principio, no pudo recordar de dónde venía. La abrió con curiosidad.

> Querida Lyddie Worthen:
> No dudo que Charlie os ha contado lo de la granja. Aunque nuestro padre defendió vuestra causa, vuestro tío no se conmovió. Así que nuestro padre consideró el precio de venta, pues tiene cuatro hijos y tierra insuficiente para todos nosotros.
> He hablado de ello con Charlie. Me ha urgido a dejar a un lado mis temores y a hablar con el corazón en la mano. Por eso deseo conseguir de mi padre la escritura de vuestra granja. Sin embargo, vuestra tierra será estéril sin vuestra presencia.
> ¿Osaría pediros que regresaseis no como hermana sino como esposa?
> Perdonad estas osadas palabras, pero no sé forjar bellas frases para alguien como vos.
> Con todo respeto, vuestro amigo,
> *Luke Stevens.*

«¿Qué le había dicho Charlie a aquel hombre para que se atreviera a escribirla semejante carta? ¿Creen que pueden comprarme? ¿Piensan que voy a venderme por un trozo de tierra? ¿Esa tierra a la que ya no tengo a quien llevar? No me queda nada más que yo misma, Lyddie Worthen. ¿Se creen que voy a venderla? No seré una esclava. Tampoco una carga para él, una fugitiva sin hogar a la que Luke Stevens ha de someter para salvar de ese modo su noble alma cuáquera.»

Rompió la carta en mil pedazos e introdujo los trocitos, uno a uno, en la cocina de hierro de la señora Bedlow, y al terminar, ante su propia extrañeza, rompió a llorar.

19
Diana

ESTUVO sola antes de que Rachel viniera, pero no sabía lo que era la soledad —esa pena afilada hundiéndose y oprimiéndole el pecho con una lentitud dolorosa—. «Me pesa el corazón», pensaba Lyddie. No se trataba tan sólo de una frase. «Es así, pesado, una enorme piedra alojada en mi pecho que aplasta todo mi ser. ¿Cómo puedo estar en pie y mirar al mundo? Estoy cargando con todo ese peso y en mi interior sólo encuentro el vacío.»

Los días de trabajo se deslizaban sin nada en que ocuparse después del toque de la campana de salida. Se rumoreaba que la corporación había retrasado los relojes para rebañar unos minutos más al ya de por sí largo turno de verano. De vez en cuando se preguntaba por qué trabajaba tanto ahora que la granja estaba vendida y había perdido a Rachel y a Charlie. Dejó la pregunta a un lado. Trabajaba duro porque trabajar era lo único que sabía hacer, todo lo que tenía. El resto de las cosas que la configuraban como Lyddie Worthen habían desaparecido. Todo excepto el trabajo duro, tan penoso que la mente se le encalleció tanto como

las manos. Caía en la cama exhausta y sólo notaba el peso de su desgracia en sueños que, a pesar de sus deseos, no podía controlar.

Las tejedoras de la Massachusetts Corporation habían rechazado la exigencia del apoderado para que cada una de ellas atendiera cuatro telares y aceptaran al mismo tiempo la reduccion del precio de la pieza de tela. Firmaron una promesa solemne en desafío a la corporación y ninguna de ellas se volvió atrás. La noticia se extendió como una ola por el taller de tejeduría de la Concord: «Ninguna chica se ha echado atrás. Ni una sola.»

Diana debería sentirse muy contenta. ¿No era una victoria para la Asociación? Cuando al fin Lyddie fue capaz de remontar su propio dolor, vio que Diana tenía mala cara y la mirada fija y ceñuda. Desde que Rachel se marchó, cada vez que Brigid o Diana intentaban acercarse a ella se las quitaba de encima. Estaba segura que nadie entendería su pérdida. Carecía de la fuerza necesaria para soportar sus inútiles esfuerzos por consolarla.

A mediados de julio, de pronto, Lyddie se dio cuenta de que Diana aún estaba trabajando, con un aspecto más enfermizo cada día. Era algo más que el calor del taller de tejeduría. «Está preocupada», pensaba Lyddie; «está profundamente preocupada y yo, inmersa en mi propio sufrimiento, ni siquiera me he dado cuenta».

Lyddie intentó hablar con Diana en la escalera, pero parecía que apenas oía los saludos. «¿La estarán amenazando con el despido o con las listas negras?» Un escalofrío le recorrió el cuerpo. Creyó que no tenía ya nada más que perder, pero y ¿si Diana se fuera?

Diana era la única que desde el primer día la trató como a una persona, la única que no se rió nunca de su peculiar acento montañés o la pidió que cambiara sus modales o mentalidad. Todas las chicas descargaban sus penas en Diana. Era la que siempre venía en tu ayuda. A nadie se le pasó jamás por la cabeza que Diana necesitara ayuda.

«Está enferma, como Betsy, Rachel, Prudence y tantas otras», pensó Lyddie. «Ha trabajado aquí demasiado tiempo y muy duramente. ¿Hasta cuándo podría aguantar Diana? ¿Cuánto tiempo aguantaría cualquiera de ellas?»

«He de hacer algo por ella», decidió Lyddie, «hacerle un regalo. Sólo hay un regalo lo suficientemente bueno».

—¿Diana? —Lyddie se abría paso entre los empujones de cientos de operarias que cruzaban el patio—. He estado pensando —echó una ojeada a su alrededor por si alguien las oía, pero las chicas estaban muy ocupadas en correr a casa para la cena—. Sobre la..., la... —incluso ahora que se había decidido, no conseguía articular la frase prohibida en el propio patio de la corporación. Respiró profundamente—: He pensado en firmar.

La chica mayor se volvió hacia ella y puso una mano en el brazo de Lyddie.

—Bien —dijo, y Lyddie no pudo entender bien el resto entre el clamor del patio, pero sonaba algo así como—: bien, ya veremos —mientras Diana se dejaba arrastrar por las oleadas de operarias.

«Pero quiero hacerlo», pensaba Lyddie. «Lo haré.»

Al comienzo de la primavera supo que en su propia casa había chicas que hacían circular la petición en secreto, pero ahora que se había decidido quería hacerlo por Diana. ¿De qué otra manera podía ser un verdadero regalo? Después de cenar, se puso el casquete y se dirigió a la pensión de Diana. Preguntó por ella a una de las chicas que estaba en la habitación delantera del número tres.

—¿Diana Goss? —preguntó la chica con desprecio—. Hoy es martes. Estará en su mitin.

—¡Oh!

La chica la miraba de arriba abajo como si quisiera grabar sus rasgos. Probablemente era una espía de la corporación. «Mírala fijamente», se dijo Lyddie a sí misma. La otra era más baja que ella, así que cuando Lyddie, desde su altura, la miró a los ojos, la chica desvió la mirada.

—Lo celebran en su sala de reuniones de la calle Central —miró a Lyddie de nuevo. El desprecio había vuelto.

—En el setenta y seis. Según me han dicho, allí todas son bienvenidas.

«Anda y que te zurzan», pensó Lyddie dirigiéndose a la ciudad.

La reunión ya había empezado. Alguien leía el acta. Las aproximadamente cuarenta chicas abarrotaban la pequeña habitación y aquello parecía una tertulia de costura, porque muchas jóvenes remendaban la ropa, cosían o bordaban.

—Hola —la mujer joven que estaba a cargo de la reunión interrumpió el zumbido de la secretaria—. Pasa.

Lyddie entró en la habitación buscando con vacilación una silla. Se sintió aliviada al descubrir que Diana se ponía en pie y se acercaba a ella.

—Has venido —la dijo, y sus rasgos demacrados se aliviaron al sonreír. Recordó la primera noche, cuando fue a ver a Diana, sólo que entonces Diana estaba radiante y llena de vida. Llevó a Lyddie a un sitio donde quedaban dos sillas libres y se sentó a su lado mientras el mitin continuaba.

A Lyddie le costaba mucho seguir la discusión. Estaban planeando algo para una especie de marcha que se celebraría a fin de mes. Esperaba que alguien mencionara la petición y así poder declararse lista para firmar, pero nadie lo hizo. A la primera campanada de silencio, la mujer que dirigía la reunión dio el mitin por concluido y se despidieron hasta el martes siguiente. Se extendió un murmullo por la sala y las chicas recogieron la costura y se pusieron los casquetes, listas para marcharse.

La mujer se acercó al sitio donde estaban Lyddie y Diana. Extendió la mano y dijo:

—Soy Mary Emerson. Bienvenida. Me parece que es la primera vez que vienes.

Lyddie estrechó la mano de la mujer y asintió.

—Ésta es mi amiga Lydia Worthen. Está pensando unirse a nosotras —dijo Diana.

La señorita Emerson se volvió expectante hacia Lyddie.

—Vengo a firmar la..., la petición —dijo Lyddie.

La mujer levantó la cabeza, aparentemente desconcertada. ¿Qué le pasaba?

—La que pide diez horas de trabajo diarias.

¿Por qué tenía que explicarle ella el contenido de la petición a una líder del movimiento? Era una locura.

—Quizá puedas hacerlo el año próximo —le decía Diana tranquilamente.

211

—No. Me he decidido. Quiero hacerlo ahora, esta misma noche.

—Pero ya la hemos presentado. Teníamos que hacerlo antes del cierre anual de la legislatura —dijo la señorita Emerson.

Por fin se había decidido a hacerlo y ¿ahora era demasiado tarde?

—Pero...

—El año que viene —repitió Diana—, si quieres, puedes poner tu nombre entre los primeros.

—Sí —dijo la señorita Emerson con alegría—. Ésa es nuestra consigna: intentarlo otra vez. Puesto que cuatro mil nombres no les han convencido, conseguiremos ocho mil el año que viene.

Le dedicó a Lyddie la sonrisa de aliento que un profesor dirige a un alumno atrasado.

—Necesitaremos toda la ayuda que podamos conseguir.

Lyddie permanecía inmóvil y boquiabierta. Su mirada iba de la cara delgada de Diana a la robusta de la mujer. Demasiado tarde. Llegó demasiado tarde. Siempre llegaba tarde. Para salvar la granja, para mantener unida a su familia. Tarde para hacer por Diana lo único que podía.

—Será mejor que te acompañe al cinco —dijo Diana como si ella fuera una niña desvalida que necesitara cuidados—. No querrás llegar tarde.

Se apresuraron por las calles mal iluminadas para llegar a las pensiones de la Concord. Ambas callaban. Lyddie quería explicarle, decirla que lo sentía, compensarla de alguna manera, pero no supo cómo hacerlo.

Al acercarse al número cinco, Diana rompió el silencio:

—Gracias por venir esta noche.

—Oh Diana, fui demasiado tarde.

—Viniste cuando te fue posible.

—Siempre llego tarde para hacer bien las cosas.

—Lyddie... —Diana vacilaba—. Te echaré de menos.

¿Qué estaba diciendo?

—No me voy a ninguna parte. Me quedaré aquí. El año que viene y los siguientes.

—No. La que se va soy yo.

—Pero ¿dónde irás? —Diana había dicho siempre que la fábrica era su única familia.

—Creo que a Boston.

—No lo entiendo. ¿Estás enferma?

—Lyddie, si no me marcho pronto, de hecho en seguida, me despedirán.

—Es por la maldita petición. Están intentando cazarte...

—No, no es por eso, aunque ya me gustaría que lo fuese.

Habían dejado de caminar y se pararon varios metros antes de llegar a los escalones del número cinco. Ambas observaron la pesada puerta que se balanceaba y entrevieron la luz del interior cuando dos chicas se apresuraban para llegar a los últimos toques de la campana.

—Es porque... ¡Oh, Lyddie!, no me desprecies...

—¡No lo haría jamás! —¿cómo podía Diana decir tal cosa?

—Lyddie, he sido... ¡Oh, no sé! ¿Insensata? ¿Débil?

—¿Qué estás diciendo? Tú no serás nunca...

—Oh, sí —Diana se quedó callada un momento, como si separara las palabras que necesitaba de la broza de sus pensamientos.

—Voy a tener un hijo, Lyddie.

—¿Un qué? —la perplejidad hizo descender el tono de la voz de Lyddie hasta convertirse en un susurro. Intentaba ver los rasgos de Diana, pero estaba demasiado oscuro para descubrir su expresión—. ¿Quién te ha hecho eso? —la preguntó finalmente.

—Oh, Lyddie. Nadie «me ha hecho» nada.

—Entonces, ¿se casará contigo, eh?

—Él..., él no es libre para casarse. Tiene a su mujer en... Concord. No quiso venir a vivir aquí, en una ciudad fabril, aunque su padre es uno de los dueños —la risa de Diana era breve y discordante.

Era el médico. Lyddie estaba segura de ello. Parecía tan amable y educado todo el tiempo...

—¿Qué vamos a hacer? —pudo oír ahora su propia voz estridente. Intentó suavizar el tono—. ¿Dónde irás?

—Tengo algunos ahorros y él está decidido a ayudarme en lo que pueda. Encontraré trabajo. Yo, nosotros, el niño y yo, nos las arreglaremos.

—No es justo.

—Tengo que irme pronto. No puedo deshonrar a la Asociación. Cualquier murmuración sobre esto y nuestros enemigos bailarán como derviches llenos de alegría.

Lyddie notaba un regocijo siniestro en la voz de Diana.

—No voy a facilitarles un arma para que nos destruyan. No lo haré mientras pueda evitarlo.

—¿Cómo puedo ayudarte? ¡Oh, Diana, he estado tan ciega!

Diana acarició levemente la mejilla de Lyddie.

—Demos gracias porque todos han estado igual-

214

mente ciegos. Si no te importa, te escribiré para contarte cómo me van las cosas.

—Has sido tan buena conmigo...

—Te echaré de menos, pequeña Lyddie —el último toque empezó a sonar.

—Date prisa. Cuélate antes de que echen el cerrojo.

—Diana... —pero la joven la empujó hacia la puerta y se encaminó rápidamente hacia el número tres.

La voz se corrió por el taller a la mañana siguiente. Diana Goss se había ido, cogiendo al vuelo el certificado de buena conducta mientras estaba a tiempo de hacerlo. «Si sigue con sus actividades radicales la ponen en la lista negra», se rumoreaba.

20
B de Brigid

BRIGID llevaba ahora dos telares y pronto estaría preparada para ocuparse de un tercero. Se mantenía entre ellos orgullosa, con el sudor corriéndole por la frente de pura concentración. Si llevara menos ropa; pero no, las chicas del Acre usaban la misma cantidad de sayas en invierno y en verano. A pesar de sus tonterías, Brigid se estaba convirtiendo en una verdadera operaria.

El señor Marsden apenas se acercaba a los telares de Lyddie aquellos días. Cuando sus ojos se encontraban por casualidad, era como si nunca les hubieran presentado. A Lyddie, antaño le hubiera preocupado su frialdad. Ahora temía que él encontrase alguna razón para despedirla, así que fue muy escrupulosa para cumplir las normas al pie de la letra. Conforme pasaban los días, decreció su ansiedad por conocer el estado de ánimo del señor Marsden, y desde luego prefería su frialdad a las sonrisitas y palmaditas que había soportado antes de su enfermedad.

Se obsequió a sí misma con más libros. En honor

de Ezekial Freeman*, qué nombre tan hermoso había elegido su amigo, compró *Narración de la vida,* de Frederick Douglas; *Un esclavo americano,* escrita por el mismo, y una Biblia. Ambos volúmenes constituyeron un sereno alivio para sus domingos solitarios, porque mientras los leía escuchaba la voz cálida y profunda de Ezekial iluminando la oscuridad de la cabaña.

Le gustó el relato que el señor Dickens hacía de sus viajes por América, excepto lo referente a Lowell. Era, tal y como Diana le advirtiera, romántico. No mencionaba en sus descripciones de color de rosa las enfermedades de pulmón, las listas negras o los hombres con esposas en Concord.

Julio se encaminaba fatigosamente hacia agosto. Era como si hubiera transcurrido un siglo desde el verano anterior, cuando leyó y releyó *Oliver Twist* y soñaba con su casa. Entonces era tan niña, una niña insensata y alocada. Como siempre, la mayoría de las operarias de Nueva Inglaterra se habían ido a casa. Brigid se encargó de un tercer telar. Muchas chicas irlandesas vinieron como suplentes y, aun así, algunas máquinas estuvieron paradas. El taller estaba más silencioso. Lyddie se dedicaba a copiar fragmentos del libro del señor Douglas y de la Biblia para pegarlos en sus telares.

Los Salmos eran sus favoritos. «Alzo mis ojos a los montes...» y «Junto a los ríos de Babilonia, allí nos sentamos y lloramos al acordarnos de Sión...» Los Salmos eran poesía y no canciones que acompañaban el poderoso ritmo de los telares.

A veces introducía sus propias variaciones: «Junto a

* Literalmente, hombre libre *(N. de la T.).*

los ríos de Merimack y Concord, allí nos sentamos y lloramos al acordarnos...» Debo olvidar, pensó. He de olvidarme de ellos. No puedo soportar su recuerdo.

Lyddie se sentía fuerte de nuevo. El cuerpo no la
traicionaba llevándola a la extenuación al final del día,
y ya no derramaba lágrimas por lo que pudo haber sido. Era un alivio, se decía a sí misma, no cargar con el
peso de la deuda o, lo que era peor, con el bienestar de
otras personas. El terrible yugo no descansaba ya en
sus hombros, ¿o sí? Algún día, la piedra que le atena-
zaba el pecho también desaparecería.

Entre Brigid y ella enseñaron a varias suplentes
que llevaban excesiva ropa con aquel calor sofocante.

—Pero madre dice que las capas me guardan del
calor —insistía una de las chicas. Lyddie lo dejó estar.
Si no había conseguido persuadir a Brigid para que se
quitara sus estúpidas capas, ¿cómo iba a hacerlo con
las chicas nuevas? Con todo, tenía más paciencia con
ellas de la que tuvo nunca con la pobre Brigid al principio. Era su obligación. La propia Brigid era un decha-
do de amabilidad enseñando a las nuevas chicas todo
lo que había aprendido de Diana y de ella, sin levantar
nunca la voz para enfadarse o quejarse.

Lyddie observaba cómo cortaba con las tijeras un
trozo de hilo de la bobina y llevaba a una de las chicas
más torponas hasta la ventana para mostrarle, en el
lugar más iluminado, cómo se hacía un nudo de tejedor. Era exactamente lo que Lyddie recordaba haber
hecho, pero supo, para su vergüenza, que la cara le
traicionaba mostrando su exasperación, mientras
Brigid era tan cariñosa como una oveja lamiendo a su
cordero.

218

Le dedicó a Brigid una sonrisa de arrepentimiento cuando regresaba a sus telares. Brigid la correspondió con otra amplia sonrisa.

—Esa chica es un poco lenta.

—Se nos permite ser tontas las dos primeras semanas —dijo, oyendo la voz de Diana en su cabeza. Recibió una nota suya diciéndole que no se preocupara, pues había encontrado trabajo en la tienda de una costurera, pero ¿cómo no iba a preocuparse por ella?

—Sí, pero todavía soy tonta y tú eres sabia —continuó diciendo Brigid con tristeza y señalando con un gesto de cabeza el Salmo pegado en el telar de Lyddie.

Lyddie introdujo los dedos bajo el papel para levantar el engrudo y se lo tendió a Brigid.

—Toma, para que practiques. Escribiré otro para mí —dijo.

—No me servirá de nada. Es como si fuera ciega, ¿sabes? —dijo Brigid moviendo la cabeza repetidas veces en señal de negativa.

—Pero en una ocasión te envié una nota...

—Se la llevé corriendo a Diana para que me la leyera.

—Al menos, ¿habrás aprendido las letras?

Avergonzada, la chica negó con la cabeza.

Lyddie suspiró. No tenía tiempo de enseñarle, pero ¿cómo negarle la oportunidad de empezar? Escribió varios papeles para que Brigid los pegara.

—A de apoderado —al lado hizo un dibujo cruel: el de un hombre con un gorro de piel; el severo gran sacerdote de aquellos dioses invisibles de Boston que habían creado las corporaciones y ante cuyos altares todos en Lowel sacrificaban sus vidas diariamente.

—B de bobina y también de Brigid —aprendió esta letra en seguida.

—C de cardado.

—D de devanadora.

Lyddie continuó con las letras, utilizando en lo posible palabras de la vida en la fábrica que Brigid conocía. Cada día, Lyddie la daba tres nuevos papeles para que los pegara y se los aprendiera y, al terminar la jornada, se los llevara a casa para repasarlos.

Así fue como día tras día, sin pretenderlo, Lyddie se encontró vinculada letra a letra, palabra a palabra, frase a frase, página a página, hasta decirle a Brigid:

—Ven a la pensión después de que hayas cenado y leeremos juntas.

O un domingo por la tarde:

—Nos encontraremos en el río. Llevaré papel y lápiz para que practiques.

No fue a casa de Brigid. No le daba miedo internarse en el Acre. No le asustaban los rumores sobre robos y asaltos pero, en cierto modo, se resistía por el bien de Brigid. No quería que la chica se avergonzara de la casa que tenía.

Al fin llegó carta de Charlie. No esperaba recibirla, pero cuando la tuvo se dio cuenta de lo mucho que deseaba saber que la recordaban, que no la habían olvidado.

> Querida hermana Lyddie:
> (¡Qué bien escribía Charlie!)
> Estamos bien. Confiamos que tú también los estés. Rachel empezó a ir a la escuela el mes pasado. Ya casi no tose y está engordando con los guisos de la señora Phinney. Luke Stevens me dice que no ha recibido respuesta.

Piensa en él con cariño, Lyddie. Tú también
necesitas de alguien que te cuide.
Tu hermano que te quiere,
Charles Worthen.

Casi rompe la carta en mil pedazos, pero se detuvo
al ver que estaba a punto de rasgar el nombre de Charlie.

Llegó septiembre. Algunas de las chicas de Nueva
Inglaterra volvieron a la tejeduría, aunque en el taller la
mayoría eran ahora irlandesas. Desde luego Diana no
lo hizo, pero algo en su interior le hacía a Lyddie
aguardarla, esperando ver la alta y serena figura que
venía hacia ella cruzando la sala llena de pelusa. Algo
en aquel taller se fue con Diana. No quedaba ya un rincón acogedor entre el tumulto.

Lyddie recibió una carta en septiembre escrita en
un papel grueso y caro; la dirección estaba trazada
con florituras:

«Lamentamos informarle de la muerte de Maggie
M. Worthen...»

Ni siquiera habían escrito bien su nombre. Pobre mamá. Nada le salió a derechas en vida ni después de muerta. Lyddie cerró los ojos con fuerza para recordar la cara
de su madre. Veía una figura delgada balanceándose sin
descanso delante del fuego y con el pelo surcado de hebras grises, pero la cara era borrosa. Hacía mucho tiempo que se había alejado de ellos, mucho antes de morir.

Entraron en el otoño. No tenía las tonalidades chi-
llonas de las Green Mountains, sino el brocado sereno
de una ciudad de Massachusetts. Los días empezaron
a acortar. Lyddie se iba a trabajar de noche y regresaba para la cena en plena oscuridad. En la fábrica, las

lámparas de aceite estaban encendidas prácticamente todo el día, así que pusieron cubos llenos de agua en cada planta. El temor a un incendio era constante cuando las lámparas estaban prendidas.

Conforme los días eran cada vez más cortos, desayunaban antes de empezar a trabajar. Apenas tenían tiempo, como siempre, para tragar la comida, a pesar de que era menos abundante que el año anterior. Al finalizar la jornada, Lyddie esperaba a Brigid y salían juntas. A menudo, las chicas les adelantaban en las escaleras o en el patio. Iban charlando de lo que Brigid había leído el día anterior, y Lyddie le resolvía el misterio de alguna palabra imposible o el enigma de una frase.

Una tarde se dio cuenta que Brigid no estaba a su lado en las escaleras abarrotadas. Intentó esperarla, pero la multitud de operarias charlatanas la arrastró. Bajó las escaleras y al llegar al pie se salió de la corriente. Pasaron a su lado más de cien chicas.

Estaba extrañada. Juraría que Brigid estuvo a su lado. Habían charlado. Brigid le preguntó por el significado de «esclavitud». Leía con grandes dificultades el libro del señor Douglas, pero no había pasado aún de la primera página del prólogo.

Por fin las escaleras quedaron sin el estrépito de las pisadas, los gritos y risas de mujeres jóvenes al término de una larga jornada. Y Brigid seguía sin aparecer. Lyddie dudaba. ¿Y si ha salido de las primeras? Puede haberse olvidado de algo y volver. Lyddie comenzó a cruzar el patio casi desierto. La cena la estaría esperando, y la señora Bedlow tomaba la tardanza por un insulto. Casi había llegado a la puerta de salida cuando algo la obligó a pararse y levantó la nariz como una liebre cuando tiene a sus lebratos en el matorral.

Corrió hacia la escalera y subió los cuatro pisos hasta el taller de tejeduría. Las operarias habían apagado las lámparas de los telares, así que en un primer momento sólo vislumbraba las voluminosas formas de las máquinas.

En aquel momento escuchó una voz, forzada por lo agudo del tono, que decía:

—Por favor, señor; por favor, señor Marsden...

Lyddie agarró el cubo para apagar incendios. Estaba lleno de agua, pero no se enteró del peso.

—Por favor, no...

Corrió por la nave entre los telares hasta el lugar de donde venía la voz y vio entre las sombras a Brigid con los ojos en blanco por el pánico y la espalda del señor Marsden, que la sujetaba los brazos.

—¡Señor Marsden!

Al oír aquel grito ronco, el encargado se dio la vuelta en el acto. Lyddie le incrustó el cubo de agua en la calva reluciente. Al hombre se le salían los ojos y la boquita de piñón se le quedó fija en una O perfecta. El agua se derramaba por sus hombros y le llegaba a los pantalones.

No hizo caso del cubo y agarró la mano de Brigid. Comenzaron a correr; Lyddie arrastraba a Brigid por la sala. Detrás, en la oscuridad, creyó oír el ruido de un oso enfadado estrellando una olla de gachas contra los muebles.

Comenzó a reírse. Cuando llegaron al pie de la escalera estaba muerta de risa y le dolía el costado, pero siguió corriendo hasta cruzar el patio, dejar atrás al atónito portero, atravesar el puente y la fila de pensiones de grandes ojos, arrastrando tras ella a una Brigid desconcertada.

21
Libertinaje

POR la mañana, las risas quedaban lejos. Estaba levantada y vestida y recorría el estrecho pasillo entre las camas esperando la campana de las cuatro y media. Sentía que le faltaba la respiración y la sangre le recorría el cuerpo, indecisa entre llevarle fuego a las venas, abrasándola a pesar del gélido noviembre, o helarse como un arroyo de montaña. Fue incapaz de tocar el desayuno. El olor del bacalao frito le revolvía el estómago. Estaba sentada y rodeada de charla y ruido, pero era preferible pasar el tiempo con una compañía bulliciosa que en el espantoso silencio de su habitación.

Llegó a la verja la primera. No es que estuviera dispuesta a empezar el día, sino deseando que terminara, porque pasara lo que pasara —y no dudaba que sería algo terrible—, lo que fuera a suceder pertenecía al pasado.

Intentaba no pensar en Brigid. No podía cargar con su suerte; bastante tenía con la propia. Si no hubiera subido las escaleras de nuevo.

«¡Soy un monstruo! ¿Cómo es posible que haya

deseado abandonar a esa pobre niña? Es como si dejara a Rachel y Agnes en manos del oso.»

Y, sin embargo, Brigid no era una criatura indefensa. Hubiera podido escaparse, darle un pisotón o…, pero ya era demasiado tarde. El hecho es que Lyddie volvió. Tuvo la suerte de encontrar el cubo de agua sucia y se lo echó por la cabecita calva al encargado. A continuación sólo necesitó hablar. Cuando le llamó por su nombre, él se dio la vuelta y dejó que Brigid se fuera. Pero no, Lyddie no estaba satisfecha. Había cogido aquel cubo y se lo incrustó de tal forma que casi le estruja los hombros. Él pediría su cabeza…

¿Por qué no abrían la puerta? Estaba tan cansada de revivir la escena mentalmente, como si levantara y bajara aquel pesado cubo una y otra vez y cruzara el patio arrastrando a Brigid miles de veces riéndose. Desde luego, él debió oírla. Había gritado como una posesa. Él tuvo que oírla.

Las operarias se apiñaban a su alrededor, empujándola mientras esperaban que tocase la campana. A pesar de todo, cuando sonó Lyddie notó un sobresalto. Era tan fuerte como la alarma de peligro. Intentó evitar la marea humana, escaparse mientras estaba a tiempo, pero se vio atrapada en la charla, en la trampa de risas de las chicas de fábrica, que se empujaban unas a otras para comenzar un nuevo día. Renunció a la idea y, permitiendo que la presión de los cuerpos que la rodeaban le impulsaran hacia la escalera cerrada, subió los cuatros pisos hasta el taller de tejeduría.

Brigid no estaba en sus telares. El señor Marsden tampoco se hallaba en el taburete alto. Habían retrasado su ejecución. Se sintió aliviada, sensación que se transformó inmediatamente en ansiedad. Necesitaba que todo acabara pronto.

Una de las chicas del Acre se le acercó:

—Brigid dice que te diga que está un poco mala esta mañana. No tienes que preocuparte.

«La muy cobarde. Va a dejar que me enfrente sola con todo, ¿eh?, cuando he sido yo la que me la jugué por ayudarla.»

La chica echó un vistazo hacia atrás y por el taller. Inclinó la cabeza hasta la altura del cuello de Lyddie y musitó:

—Para decir la verdad, no le pasaba nada esta mañana, pero no quería alarmarte.

Al oírlo, Lyddie se sintió verdaderamente alarmada, sin el menor atisbo del blindaje que proporciona el resentimiento. «¿Castigarían a Brigid en lugar de a ella? ¿Qué pecado había cometido Brigid? ¿Qué regla había violado? ¡Y con una madre enfermiza y casi una docena de hermanos para cuidar!»

El señor Marsden llegó. Lyddie mantuvo los ojos fijos en sus telares. La sala experimentó una sacudida y vibró al volver a la vida. Lyddie y la chica irlandesa mantuvieron activos los telares de Brigid lo mejor que pudieron. Estaba tan ocupada que se olvidó de sus temores. Y en aquel momento un joven, el oficinista del apoderado de traje y corbata, apareció a su lado para rogarle que le acompañara a la oficina. Al fin había llegado el momento. Detuvo sus telares y uno de los de Brigid y siguió al hombre. Bajaron la escalera y cruzaron el patio hacia el edificio bajo que albergaba la contaduría y las oficinas.

El apoderado Graves estaba sentado ante su inmensa mesa de despacho con alas abatibles, y no dejó a un lado sus papeles para acusar la presencia de Lyddie. El oficinista la había conducido hasta la puerta, así que permaneció en aquel lugar cuando el joven la cerró tras ella. Intentaba respirar.

Allí se quedó, esperando; apenas era capaz de conseguir que el aire le pasara por la garganta, hasta que comenzó a sentirse bastante débil. ¿Iba a desmayarse sobre la alfombra? Estudió los dibujos, las diversas tonalidades de marrones apagados, que comenzaban siendo casi negros en el centro y se hacían más y más claros hasta transformarse en un amarillo sucio en el borde externo. Mareada, dio un paso vacilante para evitar caerse. El hombre giró en la silla con aire de enfado. Llevaba gafas de media luna y, levantando la imponente cabeza, la miró por encima de ellas.

—¿Usted…, usted me ha mandado llamar, señor? —le salió como el cacareo de una gallina.

—¿Sí?

«Usted me ha mandado llamar, señor», se alegraba al comprobar que su voz era más firme. El hombre seguía mirándola fijamente como si fuera un gusano en su plato.

—Lyddie Worthen, señor. Usted me hizo venir.

—Ah, sí, señorita Worthen —no se levantó ni tampoco le pidió a Lyddie que se sentara—. Señorita Worthen —repitió.

Recogió los papeles en los que estaba trabajando, les dio golpecitos contra la madera para que formaran un montón uniforme y, a continuación, depositó la pila en el lado derecho de la mesa. Acto seguido giró el sillón para situarse frente a ella.

—Señorita Worthen. He mantenido una entrevista muy desagradable con su encargado esta mañana.

Lyddie no pudo evitar el preguntarse cómo habría contado el señor Marsden el encuentro de la noche anterior.

—Parece —continuó diciendo—, parece ser que es usted una alborotadora en el taller de tejeduría.

Ahora la estudiaba detenidamente, con la misma atención que antes le dedicaba a sus documentos.

—Una alborotadora —repitió el apoderado.

—¿Yo, señor?

—Sí. El señor Marsden teme que usted está ejerciendo allí una mala influencia sobre las demás chicas.

Así que no había ningún informe sobre la noche pasada. Eso, al menos, estaba claro.

—Hago mi trabajo, señor —dijo Lyddie reuniendo valor—. No tengo la intención de causar problemas en el taller.

—¿Cuánto tiempo lleva con nosotros, señorita Worthen?

—Un año señor. Entré en abril del año pasado, señor.

—¿Y cuántos telares atiende en este momento?

—Cuatro, señor.

—Ya. ¿Y su jornal? ¿Qué promedio alcanza?

—Gano bien, señor. Últimamente saco tres dólares limpios después de pagar la manutención.

—¿Así que está usted satisfecha con esa cantidad?

—Sí, señor.

—Ya. ¿Y las horas?

—Estoy acostumbrada a trabajar muchas horas. Me las arreglo bien.

—Entiendo. Y nada de esa... —sacudió la manaza—. Nada de esa historia de las diez horas, ¿eh?

—Nunca he firmado la petición —«tuve la inten-

228

ción de hacerlo, pero a usted no le interesa saberlo».

Se produjo una larga pausa en la que el apoderado se quitó las gafas, como si quisiera verla mejor.

—¿Así que usted no es una de esas chicas que está a favor de las reformas para la mujer? —dijo finalmente.

—No, señor.

—Ya veo —dijo colocándose las gafas de nuevo y dando la impresión de que ahora veía menos que hacía unos instantes—. Ya veo.

Lyddie dio un pasito hacia delante.

—Puedo preguntarle, señor, ¿por qué me ha llamado alborotadora? —habló muy bajito, pero el apoderado la oyó.

—Sí, bien...

—Quizá... —el corazón le latía con fuerza admirada de su audacia—. Quizá pueda usted llamar al señor Marsden, señor. ¿Qué es exactamente lo que he hecho para desagradarle? —elevó la voz y la suavizó para convertir la exigencia en pregunta.

—Bien, bien... Abra la puerta —el apoderado dudaba. Y cuando Lyddie lo hizo obedientemente, llamó al oficinista para que avisara al señor Marsden. A continuación se volvió hacia Lyddie.

—Siéntese, señorita Worthen —dijo volviendo a sus papeles.

Si bien la silla que le indicó era estrecha y de respaldo muy recto, agradeció el poder sentarse al fin. El arrebato de valor la había dejado tan exhausta como antes el miedo. También estaba contenta de tener tiempo para reunir las ideas que se agolpaban en su mente. Pero cuanto más esperaba, mayor era el tumulto en su interior. Así que cuando el empleado abrió la puerta y apareció el señor Marsden, apenas pudo evitar ponerse de pie de un brinco y empezar a gritar. Apretó la espalda contra el respaldo de la silla y notó que la madera casi le atravesaba el pecho. Mantuvo los ojos fijos en las vertiginosas espirales oblongas de la alfombra.

Hubo un carraspeo y una pregunta:

—¿Me ha mandado llamar, señor?

Lyddie casi se ríe en voz alta. Eran sus mismas palabras de apenas diez minutos antes.

El superintendente se volvió en su silla, pero tampoco se levantó ni le ofreció una silla al visitante.

—La señorita Worthen, aquí presente, desea conocer los cargos que hay contra ella.

El señor Marsden tosió. Lyddie, a pesar suyo, levantó la vista. Ante su mirada, el encargado parpadeó rápidamente y, tranquilizándose, con los párpados cubriéndole los ojillos oscuros y la boquita de piñón convertida en una raja, dijo en tono imparcial:

—Esta chica es una alborotadora.

Lyddie se puso en pie de un salto. No podía contenerse.

—¿Una alborotadora?, entonces ¿qué es usted, señor Marsden? ¿Qué es usted, eh?

El apoderado levantó la cabeza. Ensanchó el cuerpo y con los ojos protuberantes, como un gran sapo dispuesto a saltar, dijo:

—¡Siéntese, señorita Worthen!

Lyddie se hundió en la silla.

Aquella explosión le dio al encargado el tiempo que necesitaba. Sonrió desdeñosamente, como diciendo: «¿Lo ve? Ésta no es una dama.»

Satisfecho por haberla calmado, el apoderado desvió la mirada de Lyddie a su acusador:

—¿Una alborotadora, señor Marsden?

Por un segundo, Lyddie tuvo esperanzas, pero el hombre continuó:

—Alborotadora, ¿en qué sentido? Su trabajo es satisfactorio.

—No lo es —en aquel momento, el señor Marsden giró sobre sí mismo y mirando directamente a Lyddie, sin trazos del mínimo nerviosismo, soltó una risita compungida—. No es el trabajo en sí, por supuesto. En algún momento pensé que era una de las mejores del taller, pero... —se volvió hacia el apoderado y con voz solemne, tranquila, continuó—: Me veo obligado, señor, a pedirle que sea despedida. Es una cuestión moral: libertinaje.

«¿Cuestión moral? ¿Qué estaba diciendo? ¿De qué la estaba acusando?»

—Ya veo —dijo el apoderado como si todo quedara explicado cuando nada, nada, lo había sido.

—No puedo —y ahora la voz del encargado goteaba la miel del pesar—, por el bien de las inocentes jóvenes a mi cargo, no puedo tener entre mis chicas a alguien que da ejemplo de libertinaje.

—Realmente no, señor Marsden. La corporación no puede aprobar el libertinaje.

Lyddie miraba incrédula a un hombre y a otro, pero ellos la ignoraban. Luchaba por encontrar las palabras que desviaran el curso que había tomado la entrevista, pero ¿qué podía decir? No sabía qué era el libertinaje. ¿Cómo podía negar algo de lo que ignoraba su existencia? Sabía lo que era la moral, pero no le servía de nada. La moral era el territorio de Amelia: la asistencia de los fieles al culto dominical, los rezos y el estudio de la Biblia, y no podía pedirles que considerasen tales cargos. Raramente asistió al culto y Dios sabe que cuando leía no era precisamente la Biblia. Sin embargo, ella no era peor que la mayoría. Al menos no era una papista, y a ellos nadie les condenaba.

Abrió la boca. Ambos hombres la miraban con tristeza, pero severamente. Con su silencio, Lyddie perdió la batalla.

—Pídale al oficinista que le pague los jornales que se le deben, señorita Worthen —dijo el apoderado volviéndose hacia su mesa.

El señor Marsden se inclinó ante la espalda de su superior y sonrió estirando los labios cerrados. ¿Chocó los tacones? En cualquier caso, se fue rápidamente sin mirar hacia Lyddie.

—Ahora debe irse —dijo el apoderado sin volverse.

¿Qué podía hacer? Torpemente se puso en pie y se encaminó hacia la puerta.

La pagaron el jornal completo y exacto, pero no la dieron el certificado de buena conducta de la Concord Corporation, y sin certificado ninguna otra corporación la contrataría nunca en Lowell. Se sentía paralizada al atravesar la alta puerta. Había soñado a menudo con su último día allí, pero en sus sueños iba a casa triunfante, y ahora no había ni triunfo ni casa a la que ir, incluso en la desgracia.

22
La despedida

EL oso había ganado. Le había robado su hogar, la familia, el trabajo y la reputación. Había creído que era muy fuerte y dura, pero se quedó paralizada como un corderito y permitió que la devorasen. Echó una ojeada a la habitación repleta que había sido su hogar: las dos camas dobles apretujadas, apenas sin sitio para pasar. Recordó a Betsy sentada en una de ellas, con las piernas cruzadas, ligeramente inclinada hacia la vela, leyendo en alta voz mientras ella, Lyddie, permanecía tumbada perdida en el universo de *Oliver.*

Y Amelia. Amelia hubiera sabido qué era el libertinaje, linaje o como quiera que se dijese la maldita palabra. Sí, estaba segura que Amelia conocería su significado. Podía ver las cejas arqueadas de la chica mayor y sus labios apretados. «¿Por qué lo preguntas?» Desde luego, ahora podría saber de qué me acusan, por qué he perdido el trabajo, por qué me han despedido sin darme un certificado. «¿A ti?» Betsy se reiría. «No a nuestra Lyddie, la mejor chica del señor Marsden.» Mientras tanto, Prudence estaría atareada explicando el significado de la horrible palabra.

A Dios gracias, Rachel estaba a salvo. Tenía un hogar, comida e iba a la escuela. Tenía una madre. Al igual que Charlie. No lloraré. Comenzó a empaquetar sus cosas, metiéndolas desordenadamente en la diminuta bolsa de tela que fue su único equipaje cuando llegó. Casi se echa a reír. En la bolsa no cabían los vestidos y los libros que se había ido comprando. Bien, ahora era una mujer rica. Podía permitirse la compra de una maleta para meter sus pertenencias, aunque no tuviera un sitio adonde llevarla.

—Dejaron que me fuera —le explicó a la señora Bedlow. La patrona se mostraba incrédula.

—Pero, ¿por qué? —le preguntó—. Eras la mejor chica de Marsden. Todo el mundo lo decía.

Lyddie soltó una risa más parecida al relincho de un caballo que a cualquier sonido humano.

—Por lo visto, todo el mundo se equivoca.

Era incapaz de describirle a la señora Bedlow los dos encuentros en el taller de tejeduría. Es posible que ella provocara el primero. Sabía tan poco del comportamiento de los hombres y las mujeres que, sin darse cuenta, debió proporcionarle algún motivo. El señor Marsden era diácono en su iglesia. No era un hombre agradable, pero seguramente... Y la noche pasada. Piedad para ella, porque había actuado como una bestia enloquecida. Ignoraba la razón, pero incluso su madre, que murió en un manicomio, jamás se había puesto así.

No le gustaba el señor Marsden. Nunca le había gustado, pero intentó complacerle. Intentó ganarse su aprobación siendo la mejor. Aunque necesitaba saber de qué le acusaba exactamente, supo que él no le había hablado al apoderado de aquellos encuentros. Así que era otra cosa lo que había hecho mal. Se lo hubiera preguntado a la señora Bedlow, pero temía que le saliera «linaje» y la señora Bedlow se echara a reír. No podía soportar que se rieran de ella, y menos en estos momentos.

—Dejaré la habitación mañana o pasado como muy tarde.

—Y ¿adónde irás?

—No se preocupe por mí. No podré soportarlo si usted es cariñosa conmigo, podría derrumbarme. Supongo que volveré a servir —eso era: Triphena la emplearía de nuevo.

Fue al banco y sacó todo el dinero: 243 dólares y 87 centavos. A continuación se dirigió a la librería. Quería darle a Brigid un ejemplar de *Oliver Twist*; si bien la muchacha ahora no podía leerlo, ya lo haría con el tiempo.

—¿Desea alguna cosa más, señorita Worthen? —el librero y ella eran amigos ahora. Dudó un momento, pero qué importaba si no iba a volver nunca.

—¿Tiene un libro que... explique el significado de las palabras?

—¡Ah! —dijo él—. Desde luego, tenemos el clásico diccionario Alexander, el Webster y el Worcester, que están más actualizados.

—Creo que necesito uno actualizado —dijo Lyddie. No quería arriesgarse a comprar un diccionario que no tuviera la palabra que necesitaba saber.

El librero bajó de la estantería tres gruesos libros, las partes I y II del *Diccionario Americano del Idioma Inglés* y un tercero.

—Mucha gente prefiere el Worcester —dijo señalando el tercer libro—. Es algo más moderno y sólo en un volumen.

Lyddie compró el Worcester y se obligó a sí misma a no abrirlo antes de salir de la librería.

Tan pronto como estuvo fuera de la vista del escaparate, dejó los paquetes en la acera y abrió el diccionario. Le llevó algún tiempo encontrar la palabra. El papel era fino y tenía los dedos encallecidos y torpes. Además, desconocía la ortografía de la palabra, pero finalmente la encontró.

«¿Qué?» Si la calle no estuviera atestada de gente hubiera gritado. «¡Ella no era una persona vil ni deshonesta! No era de condición baja o una depravada. Sólo una ignorante, pero ¿era eso pecado? El perverso era él acusándola de tal cosa. No había cometido ninguna maldad, únicamente una tontería.»

Regresó deprisa a su habitación. ¿Qué podía hacer? El mal ya estaba hecho. ¡De haber sabido en la oficina del apoderado qué le estaban diciendo, cómo mentía aquel hombre vil! Pero el apoderado se apresuró a creerle. Cuando les grité me hicieron sentirme culpable. No tenía los modales de una dama. Ése era mi crimen.

Furiosa, escribió las cartas. Le temblaba la mano de tal modo que se quemó con el lacre. Salió corriendo de la casa, con las cintas del casquete desatadas y el chal flotando al viento. Al llegar al Acre estaba sin respiración, y apenas pudo preguntarles a los niños que jugaban en la calle por la casa de Brigid.

El primer niño al que se lo preguntó alzó sus grandes y asustados ojos hacia ella y salió corriendo sin responderle. Se tomó un tiempo para anudarse debidamente el lazo del sombrero y recuperar el resuello antes de preguntárselo a otro. Éste señaló en silencio una choza que no era la de Brigid, pero el ama de casa la conocía y le dio a Lyddie la dirección correcta.

La propia Brigid le abrió la puerta.

—Oh, Lyddie, ¿qué te han hecho?

—Estoy despedida —dijo Lyddie.

—No, no puede ser cierto.

—No tiene vuelta de hoja. Lo han hecho, pero no deben despedirte a ti. Le he escrito una carta al señor Marsden. Le digo que si te despide o te molesta lo más mínimo le contaré a su mujer con pelos y señales lo que pasó en el taller de tejeduría. Aquí tienes la carta dirigida a ella. Si surge algún problema debes echarla al correo en seguida. Brigid se la quedó mirando boquiabierta.

—En seguida. Júrame que lo harás —la muchacha asintió con la cabeza.

—Y ahora me gustaría sentarme si es posible.

—¡Oh!, qué maleducada soy —Brigid se hizo a un lado para dejarla entrar en la diminuta choza. Había un olor penetrante a comida y sudor. Estaba oscuro, pero Lyddie pudo ver niños de ojos grandes que la observaban.

—Mi madre está hoy de limpieza —Brigid recogió de una banqueta tosca un montón de algo parecido a unos harapos que debían de ser ropa. Lyddie se sentó agradecida. Aún le duraba el cansancio de la noche anterior. Estaba tan cansada como lo estuvo después de la enfermedad, con los huesos doloridos.

—Gracias —dijo.

—¿Dónde vas a ir? Espero que no muy lejos de aquí.

—No me han dado el certificado, así que tengo que marcharme.

—Y todo por mi culpa.

—No, no debes echarte la culpa.

No había otro lugar para sentarse exceptuando las camas, así que Brigid permaneció de pie mirándola. El único ruido que había en la oscura habitación era el murmullo de los niños que se movían mientras miraban fijamente.

Se calló para coger aliento. Era el momento de irse.

—Me voy, Brigid. Ah, casi se me olvidaba —dijo Lyddie tendiéndole el paquete con la vieja cartilla de Brigid y el *Oliver Twist*—. Para que no te olvides de mí, ¿eh? —añadió mientras salía corriendo para no oír los sollozos de Brigid.

Aquella noche, a la hora de la campana de cierre, bajó a la calle y, dejando atrás la hilera de pensiones, llegó a las cuidadas casas de madera de los encargados de la Concord Corporation. Ignoraba cuál era la suya, pero daba lo mismo. Tenía que venir por allí. Permaneció en la sombra de la primera casa y esperó.

No se había equivocado en cuanto al camino. Ahí llegaba, como un gallito, solo. ¿Tendría amigos? Alejó el pensamiento. No debía permitir que nada diluyera su cólera.

—¿Señor Marsden? —salió de las sombras y le bloqueó el paso. Él se detuvo asustado. Eran casi de la misma estatura y ella se le acercó tanto que la larga cinta del casquete casi le barría las mejillas. Habló con extremada calma:

—Sí, soy yo, Lyddie Worthen.

—Señorita Worthen —dijo en un susurro entrecortado.

—Soy pobre y mano de obra barata. A veces soy cobarde y a menudo egoísta. No soy una belleza a la que se admira, pero no soy vil, ni desvergonzada, baja o depravada.

—¿Qué...éé?

—Usted me acusó de libertinaje, señor Marsden. Estoy aquí para decirle que soy inocente —él dio un paso atrás resoplando boquiabierto—. Aquí tengo la carta que le he escrito. Le contaré lo que dice: Si usted provoca que Brigid MacBride pierda su trabajo, he dispuesto lo necesario para informar a su esposa de lo que realmente sucede en el taller de tejeduría después de la hora de salida.

—¿Mi esposa? —musitó.

—La señora del capataz Marsden. Creo que debe saber si hay libertinaje en el taller de tejeduría de su marido —le puso la carta entre los dedos y cogiendo su repulsiva mano se la cerró—. Buenas noches, señor Marsden. Espero que duerma a pierna suelta... antes de morir.

Tomó una diligencia para ir a Boston. Casi nadie lo hacía entonces. El tren era mucho más rápido, pero no tenía dónde ir con tanta prisa. El viaje la daría tiempo para tranquilizarse. Boston era un lugar horrible. Más viejo e incluso más sucio y abarrotado que Lowell. Las calles eran estrechas y Lyddie pisaba con cautela evitando la basura y los excrementos de los animales. Se levantaba la falda con una mano y con la otra sujetaba la maleta nueva. Debería haber buscado un sitio donde dejarla a salvo, pero ¿cómo se hace tal cosa en una ciudad desconocida?

Al fin encontró la dirección. Miró a través de un escaparate y vio a Diana, alta y pálida pero ya no tan delgada. Hablaba con una clienta e inclinaba ligeramente la cabeza hacia la bajita mujer mientras sonreía educadamente.

Lyddie cambió la pesada maleta a la mano izquierda y abrió la puerta. Sonó una campanilla y Diana levantó la cabeza al oírla. En un principio, saludó cortésmente mientras le seguía prestando atención a la charlatana clienta. Después la reconoció, al tiempo que se le transformaba la cara.

—Perdone un momento —le dijo a la mujer. Se acercó y le cogió la maleta—. Lyddie —su voz conservaba la serenidad y el maravilloso tono grave de siempre—. ¡Qué alegría tan grande me da el verte!

No había tiempo para hablar hasta que el pedido de la clienta estuviera servido y la campanilla sonase señalando su partida.

—¿Cómo estás, Lyddie? —le preguntó Diana.

—Me echaron por libertinaje —dijo ella.

—¿Por qué? —Diana casi se reía.

—Quiere decir...

—Sé lo que significa —dijo Diana suavemente—. Estoy íntimamente familiarizada con la palabra, pero tú... No entiendo...

—Tú no eres vil, baja o depravada —dijo Lyddie.

—Gracias —Diana intentaba no sonreír, pero las comisuras de los labios la traicionaban—. Y tú tampoco lo eres. Lo que no puedo imaginarme es cómo...

—Fue el señor Marsden.

—Ah, claro, el querido señor Marsden.

Cuando Lyddie le contó la historia completa, casi llorando de rabia de nuevo, se dio cuenta que Diana se moría de risa.

—¡No es divertido, eh! —protestó Lyddie.

—No, por supuesto que no. Lo siento. Pero me estoy imaginando su cara cuando le saliste al paso ayer por la noche. En el momento en que pensaba que había ganado, cuando se desembarazó limpiamente de las pruebas.

Lyddie recordaba la boquita de piñón abierta en forma de O por el pánico. Se sintió satisfecha.

—Y su mujer es verdaderamente terrible, pero sabes que... Pensé que nadie me creería. Era su palabra contra la mía.

—Sí, de acuerdo, ella es temible. Todo el mundo lo dice. Da miedo, te lo aseguro —se levantó y sirvió una taza de té para cada una—. ¡Vamos a celebrarlo! Oh, Lyddie, me alegro tanto de que hayas venido. ¿Cómo puedo ayudarte?

¡Pero si ella había venido a ayudar a Diana!

—Pensaba..., pensaba ayudarte, si es posible.

—Te lo agradezco mucho, pero me las arreglo bien como puedes ver. Fue duro al principio. Nadie quería a una soltera embarazada, pero la propietaria de esta tienda estaba enferma y necesitaba ayuda urgentemente. Resultaba que nos necesitábamos la una a la otra. Salió bien y ella ha sido muy amable. Su hija cuidará del bebé cuando nazca —sonrió feliz—. Son como una familia para mí —alargó la mano y le dio a Lyddie unas palmaditas en la rodilla—. Ya me entiendes.

Lyddie pasó la noche en casa de Diana. Todos eran simpáticos, al menos Diana y su familia. ¿Por qué el alma de Lyddie sintió un trallazo como si se rompiese el hilo de la urdimbre? ¿No se alegraba por Diana? Sí, sí; estaba contenta y se sentía muy aliviada.

—Debes escribir a Brigid y contarle que estás bien, ¿eh? Ahora ya lee y se preocupa —dijo Lyddie cuando se despidieron a la mañana siguiente.

Llovió durante todo el camino mientras atravesaban New Hampshire. Una lluvia continua y pesada. Lyddie viajaba en el interior de la diligencia. Sólo había otro pasajero, un anciano que la ignoraba. Se lo agradecía, porque iba llorando casi todo el rato. Ella, la Lyddie dura como una piedra, llevaba la cara tapada con el pañuelo y la cabeza ladeada hacia la persiana de la ventanilla. Pero la agitación que la había arrasado con dentro cedía, igual que se hunden los cascos de los caballos en la tierra embarrada. Al cruzar el puente y llegar a Vermont, salió el sol y los deshojados árboles tomaban el color de la plata al recortarse contra el verde oscuro de los de hoja perenne de las laderas de la montaña. El aire era limpio y frío, el cielo azul, y parecía más un día soleado de finales de invierno que uno de noviembre.

23
Vermont, noviembre de 1846

UNA noche más de camino y el cielo se convertiría en la cara interior de un grueso edredón. El cochero fustigó al tiro de caballos, ansioso por llegar a la próxima parada antes de que empezara a nevar. Era casi de noche cuando la diligencia enfiló a la carrera la última curva del camino que la llevaría a la puerta de la taberna de Cutler.

Nada había cambiado excepto ella misma. Al principio, Triphena simulaba no reconocerla:

—Esta gran dama llega de la ciudad de los telares y los husos.

Pero el juego terminó en seguida, y la vieja cocinera la abrazó con cariño y la condujo a un asiento al lado de la gigantesca chimenea.

—Pensaba que a estas alturas ya tendrías una cocina de hierro con horno —dijo Lyddie medio en broma, echando una ojeada a la cocina familiar.

—En la vida mientras yo sea la cocinera —dijo Triphena llena de orgullo—. Apuesto a que todo el mundo tiene esa monstruosidad en la ciudad, ¿eh?

—Son muy buenas. Teníamos una en la pensión.

Triphena suspiró.

—Lo serán, sin duda, para las que no son verdaderas cocineras —le tendió a Lyddie una taza de su café, espeso a base de crema y sirope de arce—. ¿Así que has venido a hacer una visita a casa, eh?

Lyddie sintió una punzada al recordar su estado actual.

—He dejado la fábrica para siempre —dijo.

—Entonces, vas de vuelta a la granja, ¿no?

—Mi tío la vendió.

—¿Pero qué ha sido de tu pobre madre y de las niñas?

—Mamá murió —dijo Lyddie. No era necesario contarla dónde—. Y también la pequeña Agnes.

—¡Dios mío! —dijo Triphena en voz baja.

—De modo que Charlie se llevó a Rachel a vivir con él al molino. Los Phinney han sido muy buenos con ellos —tomó un largo trago de café. Le quemaba la garganta, pero ignoró el dolor—. Ya ves, por primera vez soy una mujer libre. No tengo ninguna preocupación en la vida.

Hizo una pausa no sabiendo cómo decir que quería ser de nuevo criada en la taberna de la señora Cutler:

—Así que pensé para mis adentros: será divertido trabajar con Triphena otra vez.

La cocinera inclinó la cabeza hacia atrás, echándose a reír. «Se cree que estoy bromeando. ¿Cómo explicárselo? ¿Cómo decirle que no tengo a dónde ir?»

En ese momento entró la chica. No tendría más de doce o trece años. Llevaba un vestido de percal basto y unas botas pequeñas. A Lyddie le dio un vuelco el corazón. Ésta era la criada. Ya no había sitio para ella en la taberna de Cutler.

Con las cosas así, pasó la noche en una habitación de huéspedes pagando el precio establecido, si bien la señora Cutler fingió por un momento que no podría cobrarle a una antigua y valiosa empleada. Lyddie permaneció despierta, atenta al silencio del exterior, con la única luz de la luna velada de nubes. «¿Cómo puedes dormir en un lugar tan tranquilo sin el ritmo y la algarabía de la calle? Sin nada que distraiga tus pensamientos sobre el futuro, el lugar al que irás en un mundo que no tiene sitio para ti y no te necesita en absoluto.»

—Entonces, ¿has tomado un permiso para ir a ver a los niños hoy? —dijo Triphena mientras le servía el desayuno en la gran mesa de la cocina.

Lyddie estaba agradecida por tener un plan al menos para un día.

—Sólo hay una ligera capa de nieve. Le diré a Henry que te lleve en el carro.

Henry era el sucesor de Willie.

Lyddie prefería caminar. El día era frío y claro, pero el chal la abrigaba y las botas eran resistentes y muy cómodas.

Llegó al molino a media mañana. La señora Phinney la recibió cariñosamente, pero Charlie y Rachel estaban en la escuela del pueblo. Continuó, pues, andando. Los pies la llevaban hacia el camino de la montaña, pasados los campos y los prados de la granja del cuáquero Stevens. Siguió caminando arriba y más allá hasta que, al doblar la última curva, la vio. Agazapada y hogareña, se recortaba contra el verde y el plata de la montaña de noviembre.

Había un poco de nieve en los campos y en el corral, pero el verdadero invierno no había llegado aún. En poco más de una semana, todo dormiría bajo un espeso edredón, pero por ahora la cabaña se destacaba en su robusta fealdad de construcción casera.

«Como yo», pensó Lyddie conteniendo las lágrimas. Era maravilloso estar en casa.

No había madera apilada contra la puerta. Alguien la había colocado ordenadamente en la leñera de nuevo. La puerta estaba arreglada y se ajustaba perfectamente al marco. Levantó el picaporte de cuero que hizo su padre y la abrió.

Incluso en el mediodía más brillante, nunca hubo mucha luz en la cabaña; en una tarde de noviembre estaba realmente oscura. Encontró la caja de pedernal —allí no había cerillas— y encendió las ramas y troncos que estaban preparados. Era como si alguien lo hubiera dispuesto para su llegada. Acercó la mecedora de su madre y miró las llamas absorta. Nada olía tan bien o bailaba mejor que un fuego de madera de abedul. ¡Era tan alegre, tan acogedor! Lyddie estiró los pies hacia el calor y suspiró contenta. Podía olvidarse de casi todo. Estaba en la casa que añoró tanto. Quizá podría pasar la noche allí. A nadie le importaría. ¿Cómo podían negarle una sola noche antes de que se marchara para siempre?

—¿Lyddie?

Pegó un salto. Vio la sombra de un hombre inclinándose para cruzar el umbral. Entró en la cabaña y se irguió.

—¿Lyddie? —dijo de nuevo, y reconoció a Luke Stevens. Estaba más enfadada por la interrupción que avergonzada de que la hubieran sorprendido.

—¿Lyddie? —dijo por tercera vez—. ¿Sois vos?

Se quitó su amplio sombrero cuáquero y lo sujetó sobre el estómago, entrecerrando los ojos para verla en la oscuridad.

—No voy a tocar nada —dijo—. He venido únicamente a decir adiós.

Según terminaba la frase, le pareció una tontería decir que venía a despedirse de una cabaña.

—A madre le pareció veros pasar. Me envía a recogeros para la cena y, si queréis, podéis pasar allí la noche.

Deseó atreverse a pedirle que la dejara quedarse en la cabaña aquella noche, pero no tenía comida ni derecho a abusar de la amabilidad de los Stevens. No quería deberles un favor si podía evitarlo.

—Me iré en seguida.

—Por favor —dijo él—, quedaos con nosotros. Se hace de noche en seguida en esta época del año.

El orgullo luchaba contra el estómago vacío. La verdad es que habían pasado muchas horas desde que tomó el desayuno de Triphena. La caminata de vuelta sería larga en la oscuridad y con frío.

—No quiero imponer...

—No debéis decir eso —dijo él rápidamente—. A nuestra madre le agradará tener otra mujer en casa —sonrió avergonzado—. Se queja a menudo de que ninguno de nosotros es capaz de encontrar una mujer que nos tome —se acercó a la chimenea y arrodillán-

247

dose separó los troncos para apagar el débil fuego que ella había encendido.

Se alegró de que le diera la espalda y no tuviera la oportunidad de verla enrojecer a la tenue luz de la cabaña.

—Acerca de tu carta... —comenzó Lyddie.

Él sacudió la cabeza sin volverse hacia ella.

—Era una loca esperanza. Rezo para que me perdonéis —dijo con calma.

Descendieron juntos por el camino. El sol era como una calabaza en llamas al caer rápidamente detrás de las montañas del oeste. Luke acortó deliberadamente el paso de sus largas piernas para que ella no tuviera que dar zancadas al seguirle. Durante largo rato ninguno de los dos habló, pero cuando el sol desaparecía y la oscuridad comenzaba a rodearles, él miró a lo lejos, camino adelante, y la preguntó suavemente:

—Si no os quedáis, entonces ¿dónde iréis?

—Soy libre... —dijo Lyddie, y mientras lo decía supo para qué estaba libre. ¡Para abatir al oso con su mirada! El oso que durante años pensó que estaba fuera de ella pero, ahora, supo realmente que se alojaba en su propia debilidad. ¡Abatiría con la mirada a todos los osos!

Se detuvo en medio del camino, el cuerpo estremecido por la emoción del descubrimiento.

—Me voy a Ohio —dijo Lyddie—. Allí hay una universidad que admite a mujeres como si fueran hombres —el plan tomaba forma según hablaba—. En primer lugar, debo ir mañana a despedirme de Charlie y de la pequeña Rachel; luego tomaré la diligencia hasta Concorde y, desde allí —respiró hondamente—, el tren. Haré el resto del viaje en tren.

Él miraba su cara intentando leerle los pensamientos, pero renunció a hacerlo.

—Sois asombrosa, Lyddie Worthen —dijo él.

Levantó la vista hasta su rostro sincero cuando se inclinaba para hablar con ella, y vio en sus encorvados hombros la sombra de un viejo con un divertido y ancho sombrero cuáquero, el bondadoso anciano en el que se convertiría algún día y que ella amaría.

«¡Maldita sea, Lyddie Worthen! ¿No has aprendido nada? ¿No sabes hacer algo mejor que atarte a otro ser viviente? No has buscado más que problemas y dolor. Abre también la puerta de la cabaña de par en par e invita al oso negro a que entre en tu hogar.»

Sin embargo, si él iba a esperarla...

Él la miraba de frente, la cabeza erguida, los ojos marrones interrogantes. Su cara estaba tan cerca de la de ella que pudo verle rastros de hollín. Igual que Charlie. El muchacho nunca pudo preparar un fuego sin ensuciarse de arriba a abajo. Lyddie mantuvo la mano firmemente pegada al costado para no levantarla y limpiarle la mejilla con los dedos.

—¿Me esperarás, Luke Stevens? Pasarán muchos años antes de que regrese a estas montañas. No volveré débil y vencida ni porque no tenga a dónde ir. No; no seré una esclava ni siquiera de mí misma.

—¿Os asusto? —preguntó él con suavidad.

—¿Eh?

—Estabais mirándome con cierta dureza.

Lyddie soltó la misma risita tonta de cuando Charlie y ella eran jóvenes.

La cara seria de Luke estaba surcada de rayas de sorpresa y, sin entender nada todavía, se echó a reír como si estuviera contento de contagiarse de su alegría. Se quitó el amplio sombrero y se pasó la mano por el pelo rojizo.

—Os echaré de menos —dijo.

«Aún podemos brincar, Luke Stevens», dijo Lyddie para sus adentros.

MI SINCERO AGRADECIMIENTO a Mary E. Woodruff, del Women's History Project, y al doctor Robert M. Brown, del Museum of American Textile History, quienes leyeron el manuscrito, me hicieron sugerencias y corrigieron el texto. Cualquier error que contenga este libro es de mi única responsabilidad.

También he de agradecerle al personal de la biblioteca del museo su ayuda y paciencia; a Linda Willis, de Mid-State Regional Library of Vermont, y a Donald George, de Dairy Division of the Vermont State Agriculture, por responder a mis preguntas sobre las vacas.

No puedo mencionar los libros y las publicaciones con los que estoy en deuda, pero citaré aquellos sin los cuales no hubiera podido escribir este libro:

Farm to Factory: Women's Letters, 1830-1860, y *Women at Work: The transformation of Work and Community in Lowell, Massachusetts, 1826-1860,* de Thomas Dublin; *The Golden Threads: New England's Mill Girls and Magnates,* de Hanna Josephson; *Mill,* de David Macaulay y la compilación de cuentos de Vermont del siglo XIX extraídos de *Vermont Historical Gazetter,* realizada por Abby Hemenway.

Debo mencionar, además, los escritos de las propias trabajadoras de las fábricas de Lowell, incluyendo *The Lowell offering: Writings by New England Mill Women (1840-45),* de Benita Eisler (ed.); los panfletos publicados por la Asociación para la Reforma del Trabajo Femenino, así como los números de la revista *Voice Industry (1845-48); A New England Girlhood* y *An Idyl of Work,* de Lucy Larcom, y *Loom and Spindle or Life Among the Early Mill Girls,* de Harriet Hanson Robinson.

ESPASA
JUVENIL

ÚLTIMOS TÍTULOS PUBLICADOS

◉ Planeta

España
Av. Diagonal, 662-664
08034 Barcelona (España)
Tel. (34) 93 492 80 36
Fax (34) 93 496 70 58
Mail: info@planetaint.com
www.planeta.es

P.º Recoletos, 4, 3.ª planta
28001 Madrid (España)
Tel. (34) 91 423 03 00
Fax (34) 91 423 03 25
Mail: info@planetaint.com
www.planeta.es

Argentina
Av. Independencia, 1668
C1100 ABQ Buenos Aires
(Argentina)
Tel. (5411) 4382 40 43/45
Fax (5411) 4383 37 93
Mail: info@eplaneta.com.ar
www.editorialplaneta.com.ar

Brasil
Av. Francisco Matarazzo,
1500, 3.º andar, Conj. 32
Edificio New York
05001-100 São Paulo (Brasil)
Tel. (5511) 3087 88 88
Fax (5511) 3898 20 39
Mail: psoto@editoraplaneta.com.br

Chile
Av. 11 de Septiembre, 2353, piso 16
Torre San Ramón, Providencia
Santiago (Chile)
Tel. Gerencia (562) 431 05 20
Fax (562) 431 05 14
Mail: info@planeta.cl
www.editorialplaneta.cl

Colombia
Calle 73, 7-60, pisos 7 al 11
Bogotá, D.C. (Colombia)
Tel. (571) 607 99 97
Fax (571) 607 99 76
Mail: info@planeta.com.co
www.editorialplaneta.com.co

Ecuador
Whymper, N27-166, y A. Orellana,
Quito (Ecuador)
Tel. (5932) 290 89 99
Fax (5932) 250 72 34
Mail: planeta@access.net.ec
www.editorialplaneta.com.ec

Estados Unidos y Centroamérica
2057 NW 87th Avenue
33172 Miami, Florida (USA)
Tel. (1305) 470 0016
Fax (1305) 470 62 67
Mail: infosales@planetapublishing.com
www.planeta.es

México
Av. Insurgentes Sur, 1898, piso 11
Torre Siglum, Colonia Florida, CP-01030
Delegación Álvaro Obregón
México, D.F. (México)
Tel. (52) 55 53 22 36 10
Fax (52) 55 53 22 36 36
Mail: info@planeta.com.mx
www.editorialplaneta.com.mx
www.planeta.com.mx

Perú
Av. Santa Cruz, 244
San Isidro, Lima (Perú)
Tel. (511) 440 98 98
Fax (511) 422 46 50
Mail: rrosales@eplaneta.com.pe

Portugal
Publicações Dom Quixote
Rua Ivone Silva, 6, 2.º
1050-124 Lisboa (Portugal)
Tel. (351) 21 120 90 00
Fax (351) 21 120 90 39
Mail: editorial@dquixote.pt
www.dquixote.pt

Uruguay
Cuareim, 1647
11100 Montevideo (Uruguay)
Tel. (5982) 901 40 26
Fax (5982) 902 25 50
Mail: info@planeta.com.uy
www.editorialplaneta.com.uy

Venezuela
Calle Madrid, entre New York y Trinidad
Quinta Toscanella
Las Mercedes, Caracas (Venezuela)
Tel. (58212) 991 33 38
Fax (58212) 991 37 92
Mail: info@planeta.com.ve
www.editorialplaneta.com.ve

Grupo ◉ Planeta   Planeta es un sello editorial del Grupo Planeta   www.planeta.es